Elettra Ercolino   T. Anna Pellegrino

Amici D'ITALIA

Corso di lingua italiana

1

LIBRO DELLO STUDENTE

Old Palace *of* **John Whitgift School**
Independent Girls' School

Tel: 0208 688 2027

Date of issue	Student name	form
Sept '18		8H

Elettra Ercolino, T. Anna Pellegrino
Amici d'Italia
Corso di italiano – Livello 1

Coordinamento editoriale: Paola Accattoli
Redazione: Paola Accattoli
Direttore artistico: Marco Mercatali
Progetto grafico: Sergio Elisei
Impaginazione: Thèsis Contents S.r.l. – Firenze-Milano
Ricerca iconografica: Giorgia D'Angelo
Direttore di produzione: Francesco Capitano
Concezione grafica della copertina: Paola Lorenzetti
Foto di copertina: Gettyimages

© ELI s.r.l. 2013
Casella Postale 6
62019 Recanati
Italia
Telefono: +39 071 750701
Fax: +39 071 977851
info@elionline.com
www.elionline.com

Crediti
Illustrazioni: Susanna Spelta / Marcello Carriero /
Pietro Di Chiara
Fotografie: Shutterstock, archivio ELI; Marka: pag. 62 foto
E e F, pag. 134 (in alto), pag. 135 (in basso), pag. 137 (in
basso); Olycom: pag. 73 (in alto); Gettyimages: pag. 100 (al
centro); Dépliant pag. 122: per gentile concessione del Ferrara
Buskers Festival nella figura del dottor Luigi Russo; pag. 123:
foto parcheggio di biciclette e castello di Ferrara per gentile
concessione di T. Anna Pellegrino. Si ringraziano Nafsika
Andriopoulou e Altuğ Duran per la gentile collaborazione;
Foto Gardaland pag. 124 per gentile concessione di
Gardaland; Foto pag. 125 (a destra) per gentile concessione
di Orme nel Parco – Parco Avventura.

I siti Web presenti in questo volume sono segnalati ad uso
esclusivamente didattico, completamente esterni alla casa
editrice ELI e assolutamente indipendenti da essa. La casa
editrice ELI non può esaminare tutte le pagine, i contenuti
e i servizi presenti all'interno dei siti Web segnalati,
né tenere sotto controllo gli aggiornamenti e i mutamenti che
si verificano nel corso del tempo di tali siti. Lo stesso dicasi
per i video, le canzoni, i film e tutti gli altri materiali autentici
complementari, di cui la casa editrice ELI ha accertato
l'adeguatezza esclusivamente riguardo alle selezioni proposte
e non all'opera nella sua interezza.

L'editore è a disposizione degli aventi diritto tutelati dalla
legge per eventuali e comunque non volute omissioni o
imprecisioni nell'indicazione delle fonti bibliografiche o
fotografiche. L'editore inserirà le eventuali correzioni nelle
prossime edizioni dei volumi.

Stampa Tecnostampa Pigini Group Printing Division
Loreto - Trevi   13.83.131.1

ISBN 978-88-536-1511-4

I materiali ELI di Italiano L2 sono sviluppati e testati grazie al contributo
dei docenti del Campus L'Infinito, Scuola di Lingua e Cultura Italiana
www.campusinfinito.it - Recanati (ITALIA)

Ciao amici,

siamo Alice, Damiano, Rafael, Silvia e Matilde, un gruppo di amici e compagni di scuola. Siete pronti per iniziare questo fantastico viaggio nella lingua e nella cultura italiane? Perfetto! Siamo pronti anche noi! Faremo insieme tante esperienze interessanti e divertenti a scuola, in famiglia, in giro per negozi, in vacanza... Tutto in italiano!

Prima di cominciare il nostro viaggio, ecco alcune curiosità sulla lingua italiana.

- Nel mondo, ogni anno, mezzo milione di studenti frequenta corsi di italiano.

- La lingua italiana, oltre che in Italia, è parlata in altre 10 nazioni: Argentina, Brasile, Canada, Croazia, Libia, Principato di Monaco, Somalia, Svizzera, nell'isola di Malta, nella città francese di Nizza, in Corsica e, in più, nella Città del Vaticano e nella Repubblica di San Marino.

- Nel mondo, dopo il cinese e lo spagnolo, l'italiano è la "lingua madre non ufficiale" più diffusa.

- Secondo l'UNESCO, la metà dei tesori artistici di tutto il mondo si trova in Italia: per questo l'italiano è la lingua della cultura, della musica e dell'arte.

- L'italiano è la lingua del *Made in Italy*. Molte aziende sono conosciute in tutto il mondo, non soltanto per il cibo e la moda, ma anche per le automobili, i computer e tante altre cose.

Venite con noi!

GUIDA VISUALE

Ecco qualche informazione per usare al meglio questo libro.

Il dialogo d'apertura

Ogni Unità inizia con un dialogo.
Ascolta, leggi, fai le attività
di comprensione e, infine, esercitati
nella rubrica *Adesso tocca a te!*

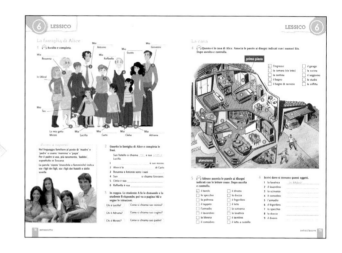

Lessico

Dopo il dialogo d'apertura, amplia e consolida
la tua conoscenza delle parole con tanti esercizi
che ti preparano a comunicare!

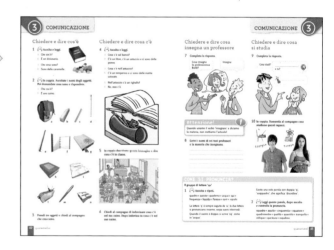

Comunicazione

In queste pagine trovi le basi per comunicare con le
altre persone nella vita quotidiana.
Sono pagine ricche di esercizi che puoi fare da solo
o con i tuoi compagni e... ci sono anche le regole
per pronunciare bene le parole!

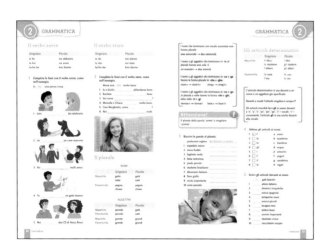

Grammatica

Questa sezione ti permette di imparare facilmente
come funziona la lingua italiana, grazie a esempi,
riflessioni e tante attività diverse. È molto utile
anche per consolidare le tue conoscenze di lessico
e di comunicazione!

Verso la certificazione ⇨

Un modo semplice e divertente per sviluppare le tue abilità di lettura, scrittura, ascolto ed espressione. Con le attività di queste pagine, così diverse e mirate, puoi esercitarti nella preparazione alle certificazioni CELI, CILS o Plida, a seconda delle esigenze della tua scuola.

⇦ A spasso in Italia

E finalmente sei pronto per una bella passeggiata italiana! In queste pagine puoi conoscere meglio le città, la moda, il cibo, le abitudini e tante altre cose interessanti! E non dimenticare il **video**!

⇦ Tiriamo le somme

Ogni tre Unità puoi controllare e valutare con questi esercizi quanto hai imparato. Una bella sfida che ti può dare grande soddisfazione!

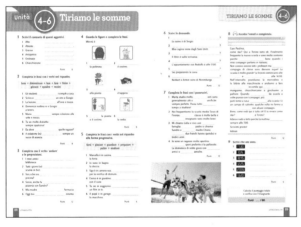

E in più...

Le regioni italiane: inizia il tuo viaggio per conoscere più da vicino il territorio, la sua bellezza, il cibo, le tradizioni... in questo volume puoi visitare alcune regioni del Nord.

La storia d'Italia: in questo volume impari la storia d'Italia dalle origini al XIV secolo d.C.

Viva le vacanze!: una divertente commedia per festeggiare con tutta la classe i successi nella lingua italiana! ⇨

CD audio per la classe

Questo simbolo segnala le attività di ascolto che il tuo professore può proporre in classe. Il primo numero indica il CD e il secondo il numero della traccia.

TAVOLA DEI CONTENUTI

Lessico	Fonetica	Certificazione	Civiltà
I colori. Numeri da 0 a 20. Alcuni oggetti della classe e dello studio.	La lettera c, g, q. I gruppi di lettere 'sc', 'gn', 'gl'.		
Le nazioni. Le nazionalità.	L'intonazione.	CO: comprendere una semplice conversazione. PO: parlare di sé, presentandosi. CS: comprendere un breve articolo. PS: scrivere i propri dati personali.	I gesti in Italia.
I numeri da 21 a 100. I mesi. Avere mal di... Scrivere un biglietto d'auguri.	La lettera c seguita da vocali o da h.	CO: comprendere l'età e la data del compleanno di qualcuno. PO: dire come sta qualcuno. CS: comprendere un biglietto di invito. PS: scrivere un biglietto d'auguri.	Il tempo libero dei giovani.
Gli oggetti in classe. Le azioni in classe. Le materie scolastiche.	Il gruppo di lettere 'qu'.	CO: comprendere un breve dialogo sulle materie scolastiche. PO: descrivere un'aula. CS: leggere una descrizione e trovare le inesattezze. PS: scrivere la descrizione della propria classe.	La scuola italiana.
I nomi e gli aggettivi per la descrizione del carattere e dell'aspetto fisico. Gli ambienti della scuola.	La lettera g seguita da vocali o da h.	CO: capire dove sono e cosa fanno delle persone a scuola; identificare delle persone in base alla descrizione. CS: comprendere la descrizione di una scuola un po' particolare. PO: descrivere le persone in una foto. PS: descrivere la propria scuola.	Un giro a Torino.
Le attività quotidiane. Le ore. I giorni della settimana. Gli avverbi di frequenza e di tempo.	Il gruppo di lettere 'sc' seguito da vocali o da h.	CO: comprendere le azioni di una giornata tipo di una star. PO: descrivere la propria giornata. CS: comprendere la divertente giornata tipo di un cane e di un gatto. PS: raccontare la giornata di un compagno. CL: completare il racconto di una giornata.	A tavola con gli italiani.
La famiglia. La casa.	Le consonanti doppie.	CO: comprendere i gradi di parentela. PO: descrivere una famiglia. CS: comprendere la descrizione di diverse case. PS: scrivere un annuncio immobiliare. Descrivere la propria casa.	Le case italiane.

TAVOLA DEI CONTENUTI

Lessico	Fonetica	Certificazione	Civiltà
• Le professioni. • Le azioni svolte nelle professioni. • I luoghi di lavoro.	• La lettera s. • La lettera z.	• CO: rimettere in ordine cronologico le azioni di una giornata. • PO: parlare del lavoro che si vuole fare e del lavoro che, invece, non si vuole fare. • CS: comprendere cosa fanno le persone nel loro lavoro. • PS: scrivere un annuncio per trovare lavoro.	• Prodotti italiani.
• Capi di abbigliamento. • Tessuti. • Fantasie dei tessuti.	• Il gruppo di lettere 'gn'. • Il gruppo di lettere 'gl'.	• CO: comprendere un dialogo sui capi di abbigliamento. • PO: descrivere l'abbigliamento di alcune persone. • CS: identificare dei capi di abbigliamento. • PS: elencare i capi di abbigliamento che piacciono o non piacciono.	• La moda.
• Le stagioni. • I mezzi di trasporto. • Gli alloggi per le vacanze.	• I suoni r e l. • I suoni b e v.	• CO: comprendere un dialogo su un fine settimana. • PO: proporre una gita. • CS: comprendere un'email. • PS: scrivere un'email. • CL: completare un testo sulle vacanze.	• I parchi di divertimento.

Silvia   Alice   Damiano   Matilde   Rafael

1 (1-2) **Ascolta le presentazioni.**

Ciao, io sono Silvia!
Ciao, io sono Alice!
Ciao, io sono Damiano!
Ciao, io sono Matilde!
Ciao, io sono Rafael!

L'alfabeto

2 (1-3) **Ascolta e ripeti l'alfabeto italiano.**

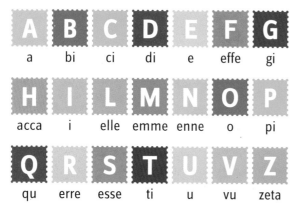

A	B	C	D	E	F	G
a	bi	ci	di	e	effe	gi

H	I	L	M	N	O	P
acca	i	elle	emme	enne	o	pi

Q	R	S	T	U	V	Z
qu	erre	esse	ti	u	vu	zeta

Lettere straniere:

J	K	W	X	Y
i lunga	cappa	vu doppia	ics	ipsilon

3 (1-4) **Come si scrive? Ascolta e ripeti.**

Come si scrive 'Alice'?

A come Ancona, L come Livorno, I come Imola,
C come Como, E come Empoli.

Come si scrive 'Rafael'?

R come Roma, A come Ancona, F come Firenze,
A come Ancona, E come Empoli, L come Livorno.

Attenzione!

Per queste lettere non usiamo nomi di città italiane:

- **H** come hotel
- **J** come jolly
- **K** come Kursaal
- **W** come Washington
- **X** come xilofono
- **Y** come yogurt
- **Z** come Zara

ADESSO TOCCA A TE!

4 In coppia. Dite come si scrivono queste parole.

1 Matita
2 Banco
3 Il tuo nome
4 Il nome del tuo compagno

Contiamo!

5 (1-5) Osserva, ascolta e ripeti i numeri.

 0 zero
1 uno
 2 due
 3 tre
 4 quattro
 5 cinque
 6 sei
 7 sette
 8 otto
 9 nove
 10 dieci
 11 undici
12 dodici
 13 tredici
 14 quattordici
15 quindici
16 sedici
17 diciassette
18 diciotto
 19 diciannove
20 venti

6 Trova i nomi di undici numeri.

E	T	T	S	A	D	U	D
I	T	R	E	D	I	C	I
V	A	E	T	U	E	C	C
E	D	I	T	E	C	S	I
N	O	V	E	S	I	E	O
T	D	O	D	I	C	I	T
I	C	I	N	Q	U	E	T
O	Q	U	A	T	T	R	O

Quanti colori!

7 (1-6) Ascolta e ripeti.

Blu
Grigio
Viola
Celeste
Nero
Verde
Bianco
Marrone
Rosso
Rosa
Arancione
Giallo

In classe usiamo...

8 Scrivi sotto a ogni oggetto il suo nome.

cartina ■ dizionario ■ gomma ■ lavagna ■ libro ■ matita ■ pagina ■ penna ■ temperino ■ quaderno

Q_____   P_____   C_____   L_____   P_____

G_____   M_____   L_____   DIZIONARIO   T_____

9 (1-7) Adesso ascolta e ripeti.

Comunichiamo in classe

10 (1-8) Ascolta le frasi e rimetti in ordine le parole.

scrive   libro   si   Come   ?

Come si scrive libro?

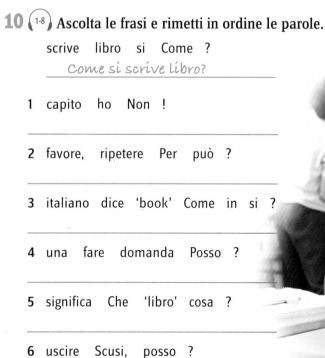

1 capito   ho   Non   !

_____

2 favore,   ripetere   Per   può   ?

_____

3 italiano   dice   'book'   Come   in   si   ?

_____

4 una   fare   domanda   Posso   ?

_____

5 significa   Che   'libro'   cosa   ?

_____

6 uscire   Scusi,   posso   ?

_____

COME SI PRONUNCIA?

Le lettere C, G e Q

La lettera 'c', ha un suono duro quando:

- è seguita dalle vocali 'a', 'o', 'u':
  ca - co - cu;

- è seguita dalla lettera 'h' + le vocali 'e', 'i':
  che - chi.

La lettera 'c' ha un suono dolce quando:

- è seguita dalle vocali 'e', 'i':
  ce - ci - cia - cio - ciu.

1 (1-9) Ascolta e ripeti le parole.

cane - colori - cuore - orchestra - chiave

cestino - cinema - ciao - arancione - ciuffo

La lettera 'g' ha un suono duro quando:

- è seguita dalle vocali 'a', 'o', 'u':
  ga - go - gu;

- è seguita dalla lettera 'h' + le vocali 'e', 'i':
  ghe - ghi.

La lettera 'g' ha un suono dolce quando:

- è seguita dalle vocali 'e', 'i':
  ge - gi - gia - gio - giu.

2 (1-10) Ascolta e ripeti le parole.

gatto - mago - gufo - spaghetti - unghia

gelato - pagina - giallo - gioco - giudice

Il gruppo di lettere 'sc' ha un suono duro quando:

- è seguito dalle vocali 'a', 'o', 'u':
  sca - sco - scu;

- è seguito dalla lettera 'h' + le vocali 'e', 'i':
  sche - schi.

Il gruppo di lettere 'sc' ha un suono dolce quando:

- è seguito dalle vocali 'e', 'i':
  sce - sci - scia - scio - sciu.

3 (1-11) Ascolta e ripeti le parole.

scatola - scopa - scuola - schermo - fischietto

sceriffo - scivolo - sciarpa - guscio - prosciutto

4 (1-12) Ascolta e ripeti i suoni e le parole.

-gn
lavagna - castagne - ragno

-gl
maglietta - aglio - tovaglia

-qu
quaderno - aquila - cinque

1 (1-13) **Ascolta e leggi.**

Matilde: Ciao Silvia!

Silvia: Ciao Matilde, tutto bene?

Matilde: Sì, tutto bene! Lei è Alice, una studentessa nuova.

Silvia: Piacere, Alice! Io mi chiamo Silvia. Di dove sei?

Alice: Sono di Genova, ma adesso abito a Torino. E loro come si chiamano?

Matilde: Lui si chiama Rafael, è uno studente brasiliano ma parla l'italiano perfettamente! Lui invece è Damiano.

Alice: Salve ragazzi, piacere!

Rafael: Piacere, Alice!

Damiano: Ciao Alice, benvenuta.

Professoressa: Buongiorno ragazzi, in classe, la lezione comincia.

Alice: Lei è la professoressa di italiano?

Matilde: No, non è la professoressa di italiano, insegna geografia.

Alice: Che bello! Io amo la geografia! E come si chiama?

Matilde: Si chiama Giulia Ragini.

2 **Indica se le frasi sono vere (V) o false (F).**

	V	F
Alice è una studentessa nuova.	☑	☐
1 Alice è di Genova.	☐	☐
2 Rafael è un professore.	☐	☐
3 Rafael parla l'italiano perfettamente.	☐	☐
4 La professoressa Ragini insegna geografia.	☐	☐

3 **Completa le frasi.**

Alice è una studentessa ___nuova___.

1 Alice abita a _____.

2 Rafael è uno studente _____.

3 Rafael parla perfettamente l'_____.

4 La professoressa di geografia si chiama

_____.

In questa unità imparo:

- i Paesi e le nazionalità, i nomi maschili e femminili per le persone;
- a presentarmi e a salutare, a presentare qualcuno, a chiedere la città di provenienza e la nazionalità;
- i nomi e gli aggettivi singolari, i pronomi personali soggetto, il presente indicativo del verbo 'essere' e dei verbi della 1ª coniugazione.

4 **Completa il dialogo.**

A Ciao, come ti _chiami_____?

B _____ chiamo Bruno, e tu?

A Io mi _____ Anna, piacere!

B Piacere. Come si _____ la professoressa di italiano?

A _____ chiama Patrizia Bianconi.

ADESSO TOCCA A TE!

5 **In coppia: ripetete il dialogo con i vostri nomi.**

6 **Scrivi sul quaderno un dialogo di presentazione fra Giorgio di Torino e Patrizia di Roma.**

Torino

Roma

7 **Completa le parole di presentazione.**

1 BU _ _ G _ _ _ N _

2 C _ A _

3 PI _ C _ _ E

4 S _ _ V _

5 B _ _ V _ _ U _ A

Paesi e nazionalità

1 Scrivi la nazionalità sotto a ogni Paese.

> giapponese ■ francese ■ italiano ■ tedesco ■
> indiano ■ brasiliano ■ svizzero ■ nigeriano ■
> spagnolo ■ egiziano ■ argentino ■ cinese

Italia
italiano

1 Svizzera

2 Brasile

3 Spagna

4 Germania

5 Francia

6 Argentina

7 Giappone

8 Cina

9 India

10 Nigeria

11 Egitto

2 (1-14) **Ascolta e completa.**

Damiano è *italiano* .
1 Maria è _____ .
2 Hans è _____ .
3 Claudia è _____ .
4 Consuelo è _____ .
5 Amit è _____ .
6 Eiko è _____ .

Maschile e femminile

3 (1-15) **Ascolta e scrivi la parola giusta sotto a ogni disegno.**

> studente ■ professore ■ attore ■ dottoressa ■
> professoressa ■ attrice ■ studentessa ■ dottore

1
_____

2
_____

3
_____

4
_____

5
_____

6
_____

7
_____

8
_____

4 (1-16) Ascolta e ripeti.

Ciao, Rafael.
Ciao, Damiano.

1 Informale

Buongiorno, professore.
Ciao, Alice.

2 Formale

ArrivederLa, signora Morini.
ArrivederLa, direttore.

3 Formale

Buonasera, signor Favini.
Buonasera.

4 Formale

Buonanotte, mamma.

5 Informale

ArrivederLa, Prof!
Arrivederci, ragazzi.

6 Formale e informale

COME SI PRONUNCIA?

L'intonazione

1 (1-18) **Ascolta e ripeti.**

1 A Tutto bene?
  B Tutto bene!

2 A Lui si chiama Rafael?
  B Lui si chiama Rafael.

3 A Alice è una studentessa nuova?
  B Alice è una studentessa nuova.

4 A Tu ami la geografia?
  B Tu ami la geografia.

In italiano una domanda e un'affermazione sono differenti solo nel tono: nella domanda il tono sale.

2 (1-19) **Ascolta le frasi. Quali sono le domande? Metti il punto o il punto interrogativo.**

La professoressa si chiama Barbara Marani [?]

1 Marco è di Bari [ ]

2 Tu abiti a Genova [ ]

3 Loro sono di Livorno [ ]

4 Rafael parla italiano perfettamente [ ]

5 Silvia e Alice sono in classe [ ]

Buono a sapersi!

In situazioni informali usiamo 'ciao' e 'arrivederci', in situazioni formali 'buongiorno', buonasera' e 'arrivederLa'.

---

5 (1-17) Completa con i saluti. Dopo ascolta e controlla.

1
A _____ Silvia.
B _____ Beatrice.

2
A _____ signora Lanetti.
B _____ Dario.

3
A _____ signor Albini.
B _____ direttore.

4
A _____ professore.
B _____ Lino.

Presentarsi, salutare

1 (1-20) **Ascolta e ripeti.**

A Ciao, come ti chiami?
B Mi chiamo Bruno, e tu?
A Io mi chiamo Angela, piacere!

A Buongiorno, come si chiama?
B Mi chiamo Giulia Ragini, e Lei?
A Io mi chiamo Giuseppe Sala. Piacere!

Attenzione!

Nel dialogo informale si usano 'tu' e il nome,
mentre nel dialogo formale si usano 'Lei'
e il cognome.

Il verbo 'chiamarsi' al singolare si declina
in questo modo: *io mi chiamo, tu ti chiami,
lui/lei si chiama.*

2 In coppia. Presentatevi in modo informale
e in modo formale.

Presentare qualcuno

3 (1-21) **Ascolta e ripeti.**

1 A Simona, lui è Diego.
  B Ciao, Diego!

2 A Simona, ti presento Diego.
  B Piacere!

4 (1-22) **Ascolta i dialoghi e completa.**

1 A Ciao Davide, _____
    Paolo.
  B _____, Paolo, piacere!

2 A Ciao Carla, _____ Patrizia.
  B _____ Patrizia,
    _____.

3 A _____ il mio cane,
    Macchia.
  B _____ bello!

Chiedere la città
di provenienza
e la nazionalità

5 (1-23) **Ascolta e ripeti.**

1 A Di dov'è, signor Gonzales?
  B Sono spagnolo, di Madrid, e Lei?
  A Sono brasiliano, di Rio de Janeiro.

2 A Di dove sei, Hans?
  B Sono svizzero, di Zurigo, e tu?
  A Io sono italiano, di Milano.

Milano

6 Scrivi i dialoghi.

1 Klaus, Francoforte - Paolo, Roma.

A _____

_____

B _____

_____

A _____

_____

2 Signor Isaias Espinosa, Buenos Aires - signor John Taylor, New York.

A _____

_____

B _____

_____

A _____

_____

7 Ricomponi il dialogo.

☐1 A Ciao, come ti chiami?

☐ A Siamo di Pisa, e tu?

☐ A Si chiama Gianni.

☐ A Andrea, piacere.

☐ A Ciao, a dopo.

☐ B Piacere! Lui come si chiama?

☐ B Di dove siete?

☐ B A dopo!

☐ B Io sono di Siena.

☐2 B Michele, e tu?

Siena

Pisa

8 Dialoga con un compagno come nell'esempio.

Come si chiama?

Di dov'è?

Si chiama Eros Ramazzotti.

È italiano, di Roma.

Eros Ramazzotti ▪ Julia Roberts ▪ Lionel Messi ▪ Principe William

Londra ▪ Atlanta ▪ Roma ▪ Rosario

a

b

c

d

9 E adesso rispondi!

E tu come ti chiami? Di dove sei?

1 GRAMMATICA

I nomi maschili e femminili

In italiano i nomi sono maschili o femminili.
I maschili generalmente terminano in **-o** e i femminili in **-a**.
Alcuni nomi, sia maschili sia femminili, terminano in **-e**.

Maschile	Femminile
libro	penna
cane	chiave

Alcuni nomi in italiano hanno due forme: una maschile (**-o**) e una femminile (**-a**).

Maschile	Femminile
gatto	gatta
ragazzo	ragazza
bambino	bambina

1 Indica se questi nomi sono maschili (M) o femminili (F).

	quaderno	M
1	cartina	☐
2	compagno	☐
3	matita	☐
4	lavagna	☐
5	dizionario	☐
6	compagna	☐

Esistono gruppi di nomi che hanno terminazioni differenti al maschile e al femminile.

Maschile	Femminile
infermiere	infermiera
studente	studentessa
attore	attrice

Esistono, infine, dei nomi che hanno forme diverse al maschile e al femminile.

Maschile	Femminile
uomo	donna
toro	mucca

Gli aggettivi qualificativi singolari

Gli aggettivi qualificativi possono essere di tipo differente, a seconda della terminazione.

Maschile	Femminile
americano	americana
inglese	inglese

2 Trasforma la forma maschile in quella femminile.

	Gatto bianco	*Gatta bianca*
1	Bambino russo	_____
2	Ragazzo cinese	_____
3	Studente bravo	_____
4	Pittore francese	_____
5	Toro nero	_____
6	Uomo australiano	_____

I pronomi personali soggetto

I pronomi personali soggetto sono:
io, **tu**, **lui/lei/Lei**, **noi**, **voi**, **loro**.
I pronomi si mettono davanti al verbo e non è sempre necessario usarli.

Presente indicativo del verbo essere

Presente indicativo

Singolare	Plurale
io sono	noi siamo
tu sei	voi siete
lui/lei è	loro sono

Attenzione!

Per indicare la città di origine, in italiano si mette la preposizione 'di' dopo il verbo 'essere'.
Valeria è di Firenze.

3 Completa le frasi con il presente indicativo del verbo 'essere'.

La penna _è_ rossa.

1 Loro _____ Giulia e Francesco.

2 Gabriel_____ rumeno.

3 Tu _____ un ragazzo francese.

4 Voi _____ di Basilea.

5 Io _____ una studentessa greca.

6 Noi_____ di Messina.

Il porto di Messina

Presente indicativo della 1ª coniugazione (-are)

> Il presente indicativo si forma aggiungendo le desinenze alla radice del verbo (am-).

Amare

Singolare	Plurale
io am**o**	noi am**iamo**
tu am**i**	voi am**ate**
lui/lei am**a**	loro am**ano**

Attenzione! (!)

I verbi che terminano in **-ciare** e **-giare** si scrivono con una sola 'i' alla 2ª persona singolare e alla 1ª persona plurale.

Mangiare: *tu mangi, noi mangiamo.*
Cominciare: *tu cominci, noi cominciamo.*

4 Completa le frasi con i verbi.

Marzia (lavare) _lava_ il cane.

1 Voi (parlare) _____ tedesco.

2 Noi (mangiare) _____ una mela.

3 Tu (cominciare) _____ l'esercizio.

4 Martina e Carlotta (comprare) _____ un temperino.

5 Io (ascoltare) _____ la musica classica.

6 Agata (abitare) _____ a Padova.

La forma negativa

> La frase negativa si forma mettendo 'non' davanti al verbo.
> *Angela **non** è tedesca, è italiana.*

5 Riscrivi le frasi in forma negativa.

Giulio compra un quaderno.
Giulio non compra un quaderno

1 Damiano parla spagnolo.

_____

2 Noi siamo di Ancona.

_____

3 Giorgio e Silvia studiano il russo.

_____

4 Anna è austriaca.

_____

5 Matilde e Alice guardano un film.

_____

6 Voi mangiate la mozzarella.

_____

Ascoltare

1 (1-24) Ascolta il dialogo e sottolinea la parola giusta per completare la frase.

Fatima è di Fez/<u>Rabat</u>/Tangeri.

1 Fatima è tunisina/nigeriana/marocchina.

2 José è spagnolo/peruviano/nigeriano.

3 Peter è canadese/nigeriano/peruviano.

4 Peter abita a Roma/Napoli/Toronto.

5 Nabil non parla inglese/italiano/francese.

6 La professoressa è di Napoli/Toronto/Roma.

Scrivere

2 Guarda la scheda di Lorenzo e scrivi la tua.

Nome: Lorenzo
Cognome: Pagnoni
Nazionalità: italiana
Nato a: Roma
il: 14/04/2002
Abita a: Roma
in: Viale Amelia 23
Scuola: Sandro Pertini
Classe: I B

Nome: _____
Cognome: _____
Nazionalità: _____
Nato a: _____
il: _____
Abita a: _____
in: _____
Scuola: _____
Classe: _____

Parlare

3 In gruppo. Presentatevi ai compagni. Dite dove e quando siete nati, la vostra nazionalità, dove studiate.

Leggere

4 Leggi il testo. Poi segna se le frasi sono vere (V) o false (F).

Ciao Italia è una simpatica rivista per ragazzi dagli 11 ai 15 anni: 16 pagine a colori con tante notizie dall'Italia e dal mondo su musica, sport, natura e attualità.

Sono 6 numeri all'anno, da settembre a maggio, e ogni numero presenta un divertente vocabolario a fumetti, articoli, quiz e ... anche un po' di grammatica. Con *Ciao Italia*, infatti, impari l'italiano in modo semplice e allegro, grazie anche alle registrazioni sul sito di alcuni articoli in MP3.

Per sapere di più guarda www.elimagazines.com

		V	F
1	*Ciao Italia* è una rivista settimanale.	☐	☐
2	Sono 16 pagine in bianco e nero.	☐	☐
3	Ogni anno pubblicano 6 numeri.	☐	☐

		V	F
4	Il vocabolario è a fumetti.	☐	☐
5	Con *Ciao Italia* studi anche la grammatica.	☐	☐
6	In *Ciao Italia* non trovi quiz.	☐	☐

I gesti in Italia

Gli italiani usano spesso le mani per parlare e comunicare con gli altri.
Ecco alcuni esempi dei gesti più comuni, le frasi che li accompagnano e la loro spiegazione.

"Che bello!"

Per comunicare entusiasmo.

"Me ne vado"/"Vattene!"

Per dire 'andare via'.

"Perfetto!"

Per approvare.

"Buono!"

Per indicare la bontà di un cibo o di una bevanda.

"Che fame!"

Per comunicare di avere fame.

"Occhio!"

Per dire di fare attenzione.

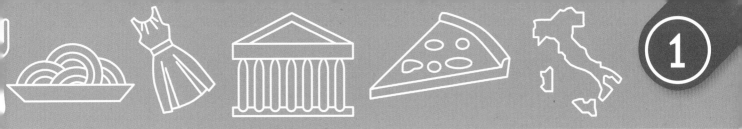

"Che vuoi?!"/"Che dici?!"
Per comunicare incomprensione/disaccordo.

"Che ne so?"
Per comunicare di non sapere.

"Uffa!"
Per comunicare di essere spazientiti.

"Calma..."
Per invitare alla calma.

VIDEO

CLICCA E GUARDA

Per capire meglio la comunicazione con i gesti, guarda il video.

Trovi il video nel libro digitale.

1 (1-25) Ascolta e leggi.

Matilde: Tanti auguri a te!

Silvia: Alice, soffia sulle candeline!

Damiano: Buon compleanno! Ma quante sono le candeline? Una, due, tre, quattro, cinque, sei, sette, otto, nove, dieci, undici... Undici anni!

Alice: Tu, invece, quanti anni hai?

Damiano: Dodici. E tu Matilde, quando festeggi il compleanno?

Matilde: Il 30 maggio, un giorno dopo Rafael, se non sbaglio...

Rafael: No, il mio compleanno è il 29 giugno.

Silvia: Il mio compleanno invece è il 23 dicembre.

Damiano: Mmmmh, Alice, quante cose buone da mangiare... tramezzini, panini, cornetti, cioccolatini...

Alice: La mia mamma prepara sempre cose buone! Silvia, ma tu non mangi niente?

Silvia: Ho mal di stomaco: assaggio solo una piccola fetta di torta per festeggiare.

Rafael: Anche io oggi non sto tanto bene: forse è l'influenza, ho mal di testa.

Alice: Ma non è una festa... è un ospedale! State tutti male...

Rafael: Tranquilla! Non è niente...

Matilde: Alice, perché non ascoltiamo un po' di musica e cantiamo con il karaoke?

Alice: Sì, bella idea! Scarto i regali e poi cantiamo. Prima il regalo delle ragazze... Mitico! Un videogioco, grazie, meritate un bacio! Ora i ragazzi... L'ultimo CD di Fabri Fibra! Meraviglioso, grazie a tutti! E adesso... cantiamo!

2 Completa le frasi.

Alice festeggia

A ☑ undici anni.

B ☐ dodici anni.

1 Damiano ha

A ☐ undici anni.

B ☐ dodici anni.

2 Matilde festeggia il compleanno

A ☐ il 30 maggio.

B ☐ il 29 maggio.

3 Rafael festeggia il compleanno

A ☐ il 29 maggio.

B ☐ il 29 giugno.

4 Silvia ha

A ☐ mal di stomaco.

B ☐ mal di pancia.

5 Rafael ha

A ☐ mal di stomaco.

B ☐ mal di testa.

■ i numeri da 21 a 100, i mesi, a scrivere un biglietto d'auguri;
■ a chiedere e dire l'età, a chiedere e dire quando si festeggia
   un compleanno, a domandare e dire come si sta;
■ il presente indicativo del verbo 'avere' e del verbo 'stare', il plurale
   dei nomi e degli aggettivi, gli articoli determinativi.

2

3 **Completa le frasi.**

Alice soffia sulle _candeline_.

1 Le candeline sono _____.

2 Le cose buone da mangiare sono: _____
   _____.

3 Le ragazze regalano un _____.

4 I ragazzi regalano un _____.

4 (1-26) **Leggi e ascolta i dialoghi.**

A Matilde, quanti anni hai?

B Undici anni.

A Quando festeggi il compleanno?

B Il 30 maggio.

A Rafael, quanti anni hai?

B Dodici anni.

A Quando è il tuo compleanno?

B Il 29 giugno. E tu, Damiano,
   quando festeggi?

A Il 27 settembre.

ADESSO TOCCA A TE!

5 **Rispondi alle domande.**

Quanti anni hai?

_____

Quando è il tuo compleanno?

_____

6 Lavoro di gruppo. Chiedi ai tuoi compagni
quanti anni hanno e quando è il loro
compleanno.

I numeri da 21 a 100

1 (1-27) Osserva i numeri e completa l'elenco. Dopo ascolta e controlla.

ventuno

ventisei

trenta

trentadue

trentotto

quaranta

quarantatré

quarantasette

cinquanta

cinquantacinque

cinquantanove

sessanta

sessantaquattro

_____

settanta

_____

_____

ottanta

_____

_____

novanta

_____

_____

cento

2 (1-28) Ascolta e scrivi i numeri.

_____52_____ .

1 _____ .

2 _____ .

3 _____ .

4 _____ .

5 _____ .

6 _____ .

3 In coppia. Lo studente A legge le operazioni e lo studente B dà i risultati, come nell'esempio. Lo studente B poi va a pagina 142 e segue le istruzioni.

13 + 4 = 17

A Tredici più quattro?

B Diciassette.

35 − 3 = 32

A Trentacinque meno tre?

B Trentadue.

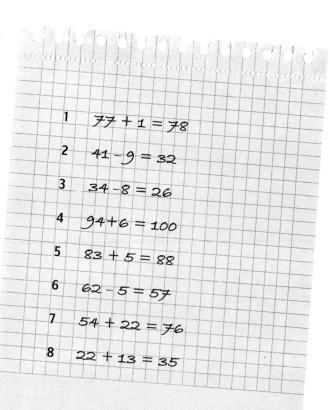

1 77 + 1 = 78

2 41 − 9 = 32

3 34 − 8 = 26

4 94 + 6 = 100

5 83 + 5 = 88

6 62 − 5 = 57

7 54 + 22 = 76

8 22 + 13 = 35

I mesi

4 (1-29) Ascolta e ripeti i nomi dei mesi.

1 gennaio
2 febbraio
3 marzo
4 aprile
5 maggio
6 giugno
7 luglio
8 agosto
9 settembre
10 ottobre
11 novembre
12 dicembre

5 Trova i nomi dei 12 mesi nello schema.

```
A G O S T O W T S O R Q
D I A E G E N N A I O N
I U P T O X J M A R Z O
C G R T T M H A G Z P V
E N I E T L U G L I O E
M O L M O K L G Q U U M
B F E B B R A I O L E B
R W G R R V T O K H A R
E V Z E E H Q U F D D E
```

Biglietto d'auguri

─ *Buono a sapersi!* ─

TVB nel linguaggio giovanile significa
'ti voglio bene'.

6 Leggi il biglietto d'auguri di Matilde e Silvia
e poi completa il biglietto per Rafael.

Torino, 31 ottobre

Carissima Alice,

tanti auguri di buon compleanno.

Grazie per l'invito alla festa,

TVB

Matilde e Silvia

Torino, 29 giugno
_____ Rafael,
tanti _____ di buon _____.
Grazie per l'_____ alla festa.
Le tue amiche Alice, Matilde e Silvia

Aver mal di...

7 (1-30) Ascolta e completa le frasi con le parti
del corpo indicate.

1 Gigi non sta bene, ha mal di _____.

2 Luisa è a letto perché ha mal di _____.

3 Simone cammina da molte ore e adesso ha
mal di _____.

4 Paolo chiama il dottore perché ha un forte
mal di _____.

5 Ivana oggi non è al lavoro perché ha mal di
_____ e non ha voce.

6 Valentina è in ambulatorio perché ha un
grande mal di _____.

testa
denti
gola
stomaco
pancia
piedi

Chiedere e dire l'età

1 (1-31) **Ascolta e ripeti.**

A Andrea, quanti anni hai?
B Diciassette e tu?
A Io, quindici.

A Quanti anni ha Cristiano?
B Cristiano ha diciotto anni.

2 Segui il modello dell'esercizio precedente e completa i dialoghi.

A Danilo, _____?
B _____ (45) anni.

A Quanti _____ ha Ludovica?
B Ludovica ha _____ (34) anni.

Chiedere e dire quando si festeggia il compleanno

3 (1-32) **Ascolta e ripeti.**

A Magda, quando è il tuo compleanno?
B Il 13 settembre.

A Quando è il compleanno di Rita?
B Il 3 agosto.

4 In coppia. Fai le domande al tuo compagno come nell'esempio.

Lucilla – 7 marzo – 13 anni

A Quando è il compleanno di Lucilla?
B Il 7 marzo.
A Quanti anni ha?
B Tredici anni.

1 Daria – 17 febbraio – 14 anni
2 Stefano – 23 luglio – 43 anni
3 Tiziana – 19 gennaio – 22 anni
4 Fabio – 27 novembre – 54 anni

Domandare e dire come si sta

5 (1-33) **Ascolta e ripeti.**

A Ciao Mariana, come stai?
B Non sto tanto bene, ho mal di testa.

A Ciao Ester, come stai?
B Bene, e tu?
A Io sto male, ho mal di gola.

A Ciao Maura, come sta Marcello?
B Lui sta bene. Io, invece, sto molto male: ho mal di denti.

A Ciao Livia, come stai?
B Abbastanza bene, e tu?
A Sono stanca e ho anche mal di piedi.

6 Rispondi alle domande come nell'esempio.

A Ciao Rosita, come stai?

B _Sto bene_____, e tu? (bene)

A _Sto abbastanza bene____, e Tino?
(abbastanza bene)

B _Sta male, ha mal di stomaco___.
(male, mal di stomaco)

1 A Ciao Mario, come stai?

B _____,
e tu? (male, mal di testa)

A _____,
grazie. E Miranda come sta? (bene)

B _____.
(abbastanza bene)

2 A Ciao Monica, come stai?

B _____,
e tu? (bene)

A _____.
Come sta Marco? (abbastanza bene)

B _____.
(male, mal di pancia)

3 A Ciao Cristiana, come stai?

B _____,
e tu? (bene)

A Anche io _____,
e Chiara? (abbastanza bene)

B Anche lei _____.
(bene)

4 A Ciao Roberta, come stai?

B _____,
e tu? (male, mal di gola)

A Anche io _____.
E come sta Francesco? (male, mal di
testa)

B Lui _____,
grazie. (bene)

La lettera C

1 (1-34) Ascolta e ripeti.

1 dicembre
2 cinema
3 candela
4 cuoco
5 forchetta
6 chiavi
7 ceci
8 coperta
9 chiaro
10 foche

La lettera 'c' ha un **suono duro** quando:
- è seguita dalle vocali 'a', 'o', 'u';
- è seguita dalla lettera 'h' + le vocali 'e', 'i';
ha un **suono dolce** quando:
- è seguita dalle vocali 'e', 'i'.

2 (1-35) Ascolta le parole e scrivile nello schema.

che	chi	ce	ci
bacheca			

3 (1-36) Ascolta le parole e segna se la grafia è corretta (C) o sbagliata (S).

		C	S
	lince	☑	☐
1	ciesa	☐	☐
2	incendio	☐	☐
3	chima	☐	☐
4	antiche	☐	☐
5	chiodo	☐	☐
6	cinese	☐	☐
7	ance	☐	☐
8	lanche	☐	☐

Il verbo avere

Singolare	Plurale
io ho	noi abbiamo
tu hai	voi avete
lui/lei ha	loro hanno

1 Completa le frasi con il verbo *avere*, come nell'esempio.

Io __ho__ una penna rossa.

1 Loro _____ dei telefonini.

2 Lei _____ un cane marrone.

3 Voi _____ molti amici.

4 Tu _____ un gatto bianco.

5 Noi _____ due CD di Vasco Rossi.

Il verbo stare

Singolare	Plurale
io sto	noi stiamo
tu stai	voi state
lui/lei sta	loro stanno

2 Completa le frasi con il verbo *stare*, come nell'esempio.

Maria non __sta__ molto bene.

1 Io e Giulio _____ abbastanza bene.
2 Rachele _____ bene.
3 Voi come _____?
4 Marcella e Chiara _____ molto bene.
5 Ciao Margherita, come _____?
6 Noi _____ male.

Il plurale

NOMI

	Singolare	Plurale
Maschile	gatto	gatti
	cane	cani
Femminile	pagina	pagine
	chiave	chiavi

AGGETTIVI

	Singolare	Plurale
Maschile	piccolo	piccoli
Femminile	piccola	piccole
Maschile	grande	grandi
Femminile	grande	grandi

I nomi che terminano con vocale accentata non hanno plurale:

una universit**à** → due universit**à**

I nomi e gli aggettivi che terminano in **-io** al plurale hanno una sola **-i**:

un eserciz**io** → due eserciz**i**

I nomi e gli aggettivi che terminano in **-ca** e **-ga** hanno la forma plurale in **-che** e **-ghe**:

stan**ca** → stan**che**   stre**ga** → stre**ghe**

I nomi e gli aggettivi che terminano in **-co** e **-go** al plurale a volte hanno la forma **-chi** e **-ghi**, altre volte **-ci** e **-gi**:

stoma**co** → stoma**ci**   ban**co** → ban**chi**

Attenzione! ❗

Il plurale della parola 'uomo' è irregolare: 'uomini'.

3 **Riscrivi le parole al plurale.**

professore inglese   *professori inglesi*

1 ospedale nuovo   _____

2 mese freddo   _____

3 biglietto verde   _____

4 festa rumorosa   _____

5 piede piccolo   _____

6 studente brasiliano   _____

7 dizionario italiano   _____

8 fiore giallo   _____

9 invito importante   _____

10 anno passato   _____

Gli articoli determinativi

		Singolare	Plurale
Maschile		**il** libro	**i** libri
		lo studente	**gli** studenti
		l'albero	**gli** alberi
Femminile		**la** casa	**le** case
		l'ora	**le** ore

L'articolo determinativo si usa davanti a un nome o un aggettivo già specificato.

Davanti a vocale l'articolo singolare è sempre **l'**.

Gli articoli maschili **lo** e **gli** si usano davanti a 'x', 'y', 'z', 'ps', 'pn', 'gn', 'i' + vocale, 's' + consonante; l'articolo **gli** si usa anche davanti alla vocale.

4 **Abbina gli articoli ai nomi.**

1 [e] l'   a amici
2 ☐ la   b quaderno
3 ☐ lo   c bambine
4 ☐ gli   d acqua
5 ☐ i   e astuccio
6 ☐ l'   f yogurt
7 ☐ il   g candelina
8 ☐ le   h regali

5 **Scrivi gli articoli davanti ai nomi.**

____*i*____ gatti bianchi

1 _____ attore italiano

2 _____ direttrici simpatiche

3 _____ amica spagnola

4 _____ temperino rosso

5 _____ astucci piccoli

6 _____ lavagna nera

7 _____ dottori bravi

8 _____ uomini importanti

9 _____ studente cinese

10 _____ cioccolatini svizzeri

Ascoltare

1 (1-37) Ascolta e scrivi quanti anni hanno queste persone e quando è il loro compleanno.

	Anni	Compleanno
Marcella	46	28 maggio
Marco		
Sandra		
Claudia		
Maurizio		
Patrizia		
Enrico		

Leggere

2 Leggi l'invito alla festa di compleanno e controlla se le frasi sono vere o false.

Gloria Venturi
Via Turati 2, 20134
Milano

Sandro Mansutti
Piazza Roma, 16
24122 Bergamo

Milano, 3 aprile

Ciao ☺
Il 12 aprile è il mio compleanno
e organizzo una grande festa
con molti amici: mangiamo,
giochiamo, balliamo e ci divertiamo...
Ti aspetto a casa mia!
A presto!
Baci
Gloria

		V	F
1	Gloria abita a Milano.	☐	☐
2	Il compleanno di Gloria è il 12 aprile.	☐	☐
3	Gloria invita alla festa pochi amici.	☐	☐
4	Alla festa Gloria e gli amici ballano.	☐	☐
5	La festa è in un ristorante.	☐	☐
6	Sandro abita a Roma.	☐	☐

Scrivere

3 Scrivi un biglietto di auguri per il compleanno di un amico o un'amica.

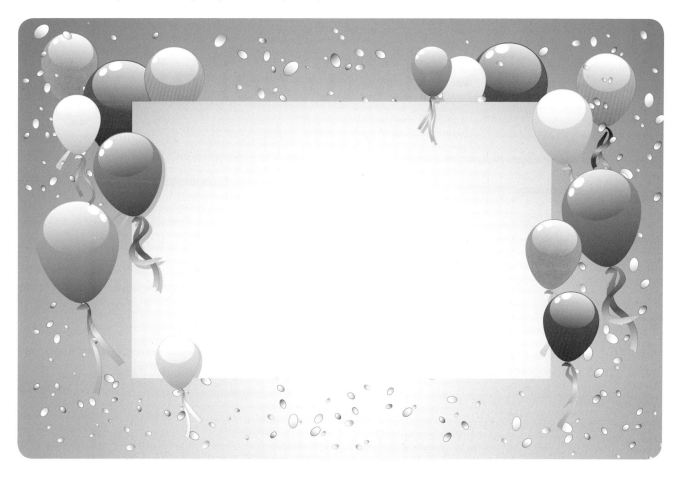

Parlare

4 Descrivi queste immagini insieme a un compagno.

5 Presenta un compagno o una compagna, dicendo come si chiama, dove abita, quanti anni ha e quando è il suo compleanno.

1 Leggi il testo e scrivi nelle caselle il numero della foto corrispondente.

Il tempo libero dei giovani

Il tempo libero è un momento molto importante nella vita dei giovani perché, oltre al relax e al divertimento, è un'occasione per crescere. Ma i giovani italiani come passano il tempo libero? In modo non molto differente rispetto ai ragazzi degli altri Paesi europei!

Lo sport è una delle attività più importanti fuori casa: una grande percentuale di ragazzi gioca a calcio e a calcetto, le ragazze amano di più la ginnastica o la pallavolo ma anche attività artistiche come la danza ☐. Molti praticano anche sport come il nuoto ☐, il ping pong, il tennis e la pallacanestro ☐.

Il pomeriggio o il fine settimana incontrano gli amici ☐ e insieme vedono un film al cinema o mangiano al fast-food.

In casa la PlayStation, il Wii e i giochi al computer ☐ sono le attività preferite, mentre la tv perde un po' della sua importanza. I ragazzi ormai usano molto la tecnologia, soprattutto per comunicare con gli amici: passano ore a chattare e parlano tramite sms ☐.

I giovani ascoltano molto la musica, anche durante altre attività. Conoscono tutte le ultime novità, scaricano le canzoni e vedono i video in internet.

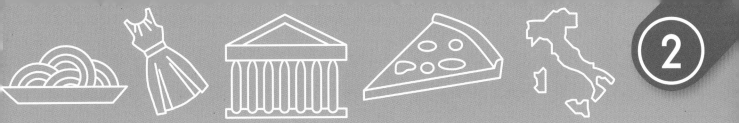

2 Elenca le attività che, secondo il testo, i giovani fanno in casa e fuori casa.

Attività in casa

Attività fuori casa

3 Scrivi almeno tre attività che fai nel tuo tempo libero.

1 _____

2 _____

3 _____

In Italia anche molte ragazze giocano a calcio

VIDEO

CLICCA E GUARDA

Un video prodotto da alcuni giovani studenti che raccontano i loro interessi e le loro passioni.

Trovi il video nel libro digitale.

1 (1-38) **Ascolta e leggi.**

Alice: Simona, vedi questa foto? Ci sono i miei compagni di classe!

Simona: Che simpatici! Ma cosa fanno?

Alice: Rafael sorride e indica Irene, una nostra compagna molto timida. Il ragazzo con gli occhiali seduto in prima fila è Riccardo, lui segue sempre le lezioni con molta attenzione, infatti è già pronto per scrivere e prendere appunti! Questa invece è Matilde, cerca la penna nella borsa: è molto distratta, dimentica sempre qualcosa a casa! Questa ragazza invece è Silvia, ripete a mente la lezione di storia, o forse dorme ancora, anche se ha gli occhi aperti! Questi sono Damiano e Matteo, discutono sempre di sport, soprattutto Damiano perché gioca a pallacanestro e legge tutte le mattine le notizie sportive. Matteo ha sul banco delle caramelle che come sempre offre a Damiano. Infine, qui a destra, il professor Quarini.

Simona: Cosa insegna?

Alice: Insegna storia.

Simona: È proprio bella la tua classe!

Alice: Sì, è grande e comoda! Ci sono venti banchi e venti sedie per gli studenti, una lavagna LIM, una cartina del mondo e una dell'Italia. C'è una grande finestra che guarda sul parco.

2 **Completa le frasi.**

I compagni di Alice sono

a ☑ simpatici.
b ☐ belli.

1 Rafael

a ☐ è timido.
b ☐ sorride.

2 Riccardo

a ☐ segue le lezioni con attenzione.
b ☐ aspetta Matilde.

3 Matilde cerca

a ☐ la penna.
b ☐ la borsa.

4 Silvia ripete a mente

a ☐ le notizie sportive.
b ☐ la lezione di storia.

5 Matteo e Damiano

a ☐ giocano a pallacanestro.
b ☐ discutono di sport.

6 Il professor Quarini insegna

a ☐ storia.
b ☐ matematica.

In questa unità imparo:
- gli oggetti in classe, le azioni in classe e le materie scolastiche;
- a chiedere e dire cos'è, a chiedere e dire cosa c'è, a chiedere e dire cosa insegna un professore, a chiedere e dire cosa si studia;
- il presente indicativo della seconda e terza coniugazione, gli articoli indeterminativi, c'è/ci sono, i dimostrativi.

③

3 Rileggi il dialogo e completa le frasi con il nome giusto.

Irene _____ è timida.

1 _____ è seduto in prima fila.

2 _____ dimentica sempre qualcosa.

3 _____ forse dorme.

4 _____ legge le notizie sportive.

5 _____ insegna storia.

4 Completa la griglia con le informazioni sulla classe.

	C'è/Ci sono	Non c'è/ Non ci sono
finestra		
computer		
cartina dell'Europa		
lavagna LIM		
televisore		
banchi		

— *Buono a sapersi!* —

LIM: Lavagna Interattiva Multimediale.

ADESSO TOCCA A TE!

5 Con un compagno scrivi cinque oggetti che ci sono in classe e cinque oggetti che non ci sono.

Ci sono	Non ci sono

6 In coppia.
Osserva i tuoi compagni e descrivi cosa fanno in questo momento.

Gli oggetti in classe

1 (1-39) Scrivi i numeri corrispondenti ai nomi degli oggetti. Dopo ascolta e controlla.

1 la finestra	la sedia	il banco	la cattedra	il televisore
la lavagna	il computer	il cestino	l'armadio	la porta

I numeri superiori a 100

2 (1-40) Osserva i numeri e completa l'elenco. Dopo ascolta e controlla.

100	200	310	420
cento	duecento	trecentodieci	quattrocentoventi

535	640	765	870
cinquecentotrentacinque	_____	_____	_____

980	1000	1200	2000
_____	mille	milleduecento	duemila

3400	4500	5600	6700
tremilaquattrocento	_____	_____	_____

7800	8900	9200	10.000
_____	_____	_____	diecimila

1.000.000	2.000.000		2.000.000.000
un milione	_____	un miliardo	_____

Attenzione!

Il numero 100 (cento) non ha plurale:
200 due**cento**, 300 tre**cento**...

Il numero 1000 (mille) al plurale è irregolare:
2000 due**mila**, 3000 tre**mila**...

3 Trova il numero scritto al contrario e dopo scrivilo in cifre.

_____

Le azioni in classe

4 (1-41) Guarda i disegni e scegli la descrizione giusta. Poi ascolta e controlla.

a ☐ Scrivere una frase.
b ☑ Sottolineare una parola.

1
a ☐ Prendere appunti.
b ☐ Ripetere la lezione.

2
a ☐ Chiedere il permesso.
b ☐ Risolvere un problema.

3
a ☐ Correggere un esercizio.
b ☐ Seguire la lezione.

Le materie scolastiche

5 (1-42) Ascolta e ripeti.

geografia   matematica   educazione
musicale

educazione   scienze   educazione
fisica   artistica

6 Scrivi sotto a ogni parola a quale materia si riferisce.

numeri
matematica

1 pentagramma
_____

2 montagne
_____

3 microscopio
_____

4 colori
_____

Chiedere e dire cos'è

1 (1-43) **Ascolta e leggi.**

A Che cos'è?

B È un dizionario.

A Che cosa sono?

B Sono delle caramelle.

2 (1-44) **In coppia. Ascoltate i nomi degli oggetti. Poi domandate cosa sono e rispondete.**

A Che cos'è?

B È uno zaino.

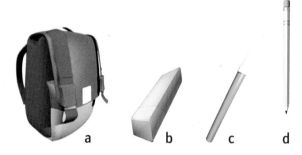

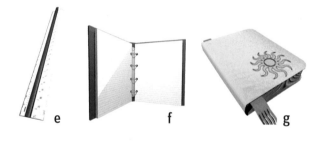

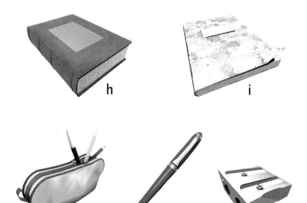

3 Prendi tre oggetti e chiedi al compagno che cosa sono.

Chiedere e dire cosa c'è

4 (1-45) **Ascolta e leggi.**

A Cosa c'è sul banco?

B C'è un libro, c'è un astuccio e ci sono delle penne.

A Cosa c'è nell'astuccio?

B C'è un temperino e ci sono delle matite colorate.

A Nell'astuccio c'è un righello?

B No, non c'è.

5 In coppia descrivete questa immagine e dite cosa c'è in classe.

6 Chiedi al compagno di indovinare cosa c'è nel tuo zaino. Dopo indovina tu cosa c'è nel suo zaino.

Chiedere e dire cosa insegna un professore

7 Completa la risposta.

Cosa insegna la professoressa Baldi?

Insegna _____

Attenzione! ❗

Quando usiamo il verbo 'insegnare' e diciamo la materia, non mettiamo l'articolo!

8 Scrivi i nomi di sei tuoi professori e la materia che insegnano.

_____
_____
_____
_____
_____
_____

Chiedere e dire cosa si studia

9 Completa la risposta.

Cosa studi?

_____, e tu?

_____

10 In coppia. Domanda al compagno cosa studiano questi ragazzi.

Giorgio

Teresa

COME SI PRONUNCIA?

Il gruppo di lettere 'qu'

1 (1-46) Ascolta e ripeti.

quadro ▪ questa ▪ quaderno ▪ acqua ▪ qui ▪ frequenza ▪ liquido ▪ Pasqua ▪ quiz ▪ squalo

La lettera 'q' è sempre seguita da 'u'; le due lettere si pronunciano insieme, senza suoni intermedi.

Quando il suono è doppio si scrive 'cq', come in 'acqua'.

Esiste una sola parola con doppia 'q', 'soqquadro', che significa 'disordine'.

2 (1-47) Leggi queste parole, dopo ascolta e controlla la pronuncia.

squadra ▪ aquila ▪ cinquemila ▪ equatore ▪ quadrimestre ▪ qualità ▪ quantità ▪ tranquillo ▪ obliquo ▪ questura ▪ inquilino

3 GRAMMATICA

Presente indicativo della 2ª (-ere) e della 3ª coniugazione (-ire)

Scrivere	Dormire
io scriv**o**	io dorm**o**
tu scriv**i**	tu dorm**i**
lui/lei scriv**e**	lei/lui dorm**e**
noi scriv**iamo**	noi dorm**iamo**
voi scriv**ete**	voi dorm**ite**
loro scriv**ono**	loro dorm**ono**

1 Unisci le due parti delle frasi.

1. ☐*f* Damiano   **a** apre la porta.
   e Matteo   **b** leggi le notizie sportive.
2. ☐ Io   **c** offrite le caramelle
   ai compagni.
3. ☐ Il professore   **d** prendono l'autobus.
4. ☐ Noi   **e** seguiamo la lezione
5. ☐ Tu   con attenzione.
6. ☐ Voi   **f** discutono
   di pallacanestro.
7. ☐ Loro   **g** scrivo un'email.

2 Completa le frasi con i verbi al presente.

Noi (aprire) _____apriamo_____ la finestra.

1. Carolina (prendere) _____
   appunti e (scrivere) _____
   sul quaderno.

2. I gatti (dormire) _____
   in giardino.

3. Riccardo (chiedere) _____
   il permesso di aprire la finestra.

4. Io (perdere) _____ spesso
   le chiavi.

5. In estate noi (partire) _____
   per il mare.

6. Tu (aprire) _____ il libro e
   (leggere) _____ una poesia.

Gli articoli indeterminativi

	Singolare	Plurale
Maschile	**un** telefonino	**dei** telefonini
	un orologio	**degli** orologi
	uno zaino	**degli** zaini
Femminile	**una** finestra	**delle** finestre
	un'amica	**delle** amiche

> L'articolo indeterminativo si usa davanti a un nome o un aggettivo non definito.
>
> Gli articoli maschili **uno** e **degli** si usano davanti a 'x', 'y', 'z', 'ps', 'pn', 'gn', 'i' + vocale, 's' + consonante; **degli** si usa anche davanti alla vocale.

Attenzione!

L'articolo singolare **un** al maschile davanti alla vocale non ha l'apostrofo: ***un** astuccio*.

3 Scrivi le parole vicino all'articolo giusto.

chiave ▪ studenti ▪ uomo ▪ sportivo ▪ astucci ▪ amiche ▪ sedie ▪ istruttori ▪ ora ▪ esercizio ▪ orchestra ▪ quadri ▪ aquile ▪ dizionari ▪ psicologo ▪ gomma ▪ squadra ▪ cestino ▪ xilofono ▪ aula ▪ ragazzi

un

uno

una   *chiave*

un'

dei

degli

delle

C'è/Ci sono

Queste espressioni indicano la presenza o l'assenza di persone, animali o oggetti in un posto.
C'è è seguito da una parola singolare, **ci sono** è seguito da un plurale.
La forma negativa è preceduta dalla particella 'non': *in classe **non** c'è il televisore.*

4 Completa le frasi con 'c'è' e 'ci sono'.

In questa fotografia *ci sono* sette studenti.

1 In un anno _____ dodici mesi.

2 In Italia _____ molte montagne.

3 Non _____ il gesso per scrivere alla lavagna.

4 Nella mia classe _____ uno studente coreano.

5 A Firenze non _____ la metropolitana.

6 Su questa torta _____ le candeline.

I dimostrativi

Quel cane. Questo cane.

Per indicare qualcosa o qualcuno vicino usiamo:

	Singolare	Plurale
Maschile	quest**o**	quest**i**
Femminile	quest**a**	quest**e**

Usiamo queste forme sia come aggettivo sia come pronome:

***Questo** esercizio è facile, **questo** invece è difficile.*

Per indicare qualcosa o qualcuno lontano usiamo:

	Singolare	Plurale
Maschile	quel	quei
	quell'	que**gli**
	quello	que**gli**
Femminile	quell'	quel**le**
	quel**la**	quel**le**

La forma del dimostrativo cambia secondo la lettera iniziale della parola che segue:
quell' davanti a vocale;
quello e **quegli** davanti a 'x', 'y', 'z', 'ps', 'pn', 'gn', 'i' + vocale, 's' + consonante; **quegli** si usa anche davanti a vocale.

La forma del pronome è invariabile:
quello/quelli e **quella/quelle**.

***Quei** bambini mangiano la pizza, **quelli** invece mangiano l'insalata.*

5 Completa le frasi con i dimostrativi giusti.

queste ▪ quell' ▪ questo ▪ quello ▪ quei ▪ quegli ▪ quella

Prendo sempre _questo_ tram per andare a scuola.

1 _____ libri sono di Rafael.

2 Studio sempre con _____ ragazza.

3 Mangio sempre _____ caramelle.

4 _____ attore è molto famoso.

5 Vedi _____ zaino sul banco? È di Giorgio.

6 _____ yogurt sono molto buoni.

6 Completa le frasi con i pronomi dimostrativi, come nell'esempio.

Queste caramelle sono alla vaniglia, _quelle_ sono al cioccolato.

1 Leggo sempre questa rivista, Sandro invece legge _____.

2 Questo orologio nero è svizzero, _____ rosso è italiano.

3 Uso sempre questo motorino, _____ invece è di mio fratello.

Ascoltare

1 Ascolta il dialogo e scrivi vicino al nome di ogni professore la materia che insegna.

Del Brocco	
Giansanti	
Marchetti	
Ottaviano	
Ranaldi	
Sacco	

Parlare

2 In coppia. Descrivete l'immagine della biblioteca scolastica qui sotto.

Scrivere

3 Descrivi la tua classe.

_____

_____

_____

Leggere

4 Osserva il disegno della classe qui sotto, poi leggi la descrizione e sottolinea le differenze.

Questa è la classe di Simona, l'amica di Alice. Ci sono <u>diciotto</u> banchi, sei per ogni fila. Ci sono tre finestre e due porte. Sul muro ci sono la cartina dell'Italia e quella dell'Europa. Vicino alla porta c'è una libreria con i CD e i DVD. Sulla cattedra ci sono il registro, una penna e un libro. A terra, vicino ai banchi, ci sono gli zaini dei ragazzi. C'è una grande lavagna nera e non c'è il cestino. Sui banchi ci sono quaderni, matite, gomme, astucci e computer. È l'ora di educazione artistica e i ragazzi disegnano dei fiori.

La scuola italiana

La scuola italiana è divisa in diversi cicli.

Scuola materna o asilo

Dai 3 ai 5 anni. Non è obbligatoria.

Scuola primaria o elementare

Dai 6 ai 10 anni. È obbligatoria.

Dura cinque anni, le lezioni sono di mattina o anche a tempo pieno cioè di mattina e di pomeriggio, con pranzo alla mensa scolastica.

Ci sono due o tre docenti per classe che insegnano lingua italiana, inglese, matematica, scienze, storia, geografia, arte e immagine, musica, attività sportive.

Scuola secondaria di primo grado o media

Dagli 11 ai 13 anni. È obbligatoria.

Dura tre anni e c'è un esame alla fine del terzo anno. Le lezioni sono solo di mattina.

Le materie che si studiano sono lettere, due lingue straniere, matematica, scienze, storia, geografia, educazione artistica, educazione musicale, educazione tecnica e educazione fisica.
Ogni docente insegna una o due materie.

Scuola secondaria di secondo grado o superiore

Dai 14 ai 16 o ai 18 anni. È obbligatoria fino ai 16 anni.

È di diversa durata, tre o cinque anni, e c'è un esame alla fine dell'ultimo anno.

Esistono diversi tipi di scuola secondaria: licei, istituti tecnici e istituti professionali.

Gli studenti possono decidere quale frequentare, senza nessuna restrizione. Alcune materie cambiano a seconda del tipo di scuola, altre sono invece comuni: per esempio, italiano, storia, matematica, lingua straniera, fisica, chimica e scienze.

Una statua di Giulio Cesare.
Al liceo classico si studiano latino e greco.

Università e accademie

In Italia tutti gli studenti che completano i cinque anni di una qualsiasi scuola superiore possono frequentare l'università. Alcune facoltà molto richieste, come medicina e ingegneria, sono a numero chiuso e per entrare è necessario passare un esame di ammissione. I corsi universitari sono di varia durata, da tre a sei anni in totale.

La Normale di Pisa
è una università molto prestigiosa.

---

1 Completa le frasi.

La scuola materna è
- ☐ obbligatoria.
- ☑ non obbligatoria.

1 La scuola primaria dura
- ☐ sei anni.
- ☐ cinque anni.

2 Alla scuola media ci sono
- ☐ tanti insegnanti per classe.
- ☐ solo due o tre insegnanti per classe.

3 Gli studenti della scuola media studiano
- ☐ economia.
- ☐ musica.

4 Alle scuole superiori tutti gli alunni studiano
- ☐ le stesse materie.
- ☐ diverse materie secondo gli indirizzi.

5 Alla fine della scuola secondaria di secondo grado
- ☐ ci sono degli esami.
- ☐ non ci sono degli esami.

6 Possono frequentare l'università
- ☐ solo gli studenti del liceo.
- ☐ tutti gli studenti che finiscono le scuole superiori.

WEB

CLICCA E GUARDA

Vuoi entrare in alcune scuole italiane interessanti e particolari?
Ecco i siti che puoi visitare comodamente da casa.
Scuola Primaria Leonardo da Vinci di Milano
http://www.scuolaleonardodavinci.it/
Scuola Media Dante Alighieri di Roma
http://www.icdantealighieri.it/
Accademia Lirica Santa Croce di Trieste
http://www.accademialiricasantacroce.com/index.html
Liceo Italiano di Istanbul
http://www.liceoitaliano.net/it/index.htm

1 **Rispondi alle domande come nell'esempio.**

Sei indonesiana?

No, non sono indonesiana, sono líbanese.

1 Hai quindici anni?

_____ (14).

2 Abitate a Catania?

_____

(Agrigento).

3 Roberta è di Bari?

_____

(Foggia).

4 Il tuo compleanno è il 24 aprile?

_____

(3 giugno).

5 Hai mal di stomaco?

_____

(mal di pancia).

6 In classe ci sono 21 studenti?

_____ (22).

Punti _____ 6

2 **Trasforma al femminile e al plurale.**

Un ragazzo sveglio.

Una ragazza sveglia; dei ragazzi svegli; delle ragazze sveglie.

1 L'insegnante gentile _____

_____

2 Un pittore bravo _____

_____

3 Il cameriere svelto _____

_____

4 Un uomo vecchio _____

_____

5 Il gatto bianco _____

_____

6 Uno studente portoghese _____

_____

Punti _____ 18

3 **Trasforma queste frasi al plurale.**

1 Licia apre l'ombrello.
Marina e Filippo _____ .

2 Questo quaderno è rosso e verde.

_____ .

3 Enrico prepara lo zaino.
Maria e Alberto _____ .

4 Quella ragazza è olandese.

_____ .

5 In classe c'è un armadio.

_____ .

6 Lo studente ascolta l'ultima canzone di Jovanotti.

_____ .

Punti _____ 6

4 **Trasforma queste frasi al femminile.**

1 Questo professore insegna filosofia.

_____ .

2 Il dottore parla con un infermiere.

_____ .

3 Quei bambini giocano con il gatto.

_____ .

4 Questi tori sono grandi.

_____ .

5 Quell'attore è molto bravo.

_____ .

6 Gli studenti ascoltano gli insegnanti.

_____ .

Punti _____ 6

5 **Rispondi alle domande.**

1 Come state? (abbastanza bene)

_____ .

2 Quanti anni avete? (13)

_____ .

3 Quando festeggi il compleanno? (2 marzo)

_____ .

4 Di che nazionalità siete? (Canada)

_____ .

5 Di dove siete? (Toronto)

_____ .

6 Dove abitate? (Sydney)

_____ .

Punti _____ 6

6 Completa le frasi con i verbi.

1 Noi (viaggiare) _____ in Italia.

2 Attento a dove (lanciare) _____ la palla!

3 Grazia e Bruno (offrire) _____ i cioccolatini agli amici.

4 Voi (leggere) _____ i libri di avventura.

5 Io nei giorni di festa (dormire) _____ fino a tardi.

6 Claudio a scuola (prendere) _____ sempre buoni voti.

Punti _____ 6

7 (1-49) Ascolta e completa il testo con le parole che mancano.

Caterina è una _____ di sedici anni. È _____ Viterbo ma studia a Roma: frequenta la III C del _____ linguistico Mamiani. Nella sua classe ci sono _____ studenti, alcuni sono stranieri, infatti Adrian è _____, Victor è peruviano e Mariana è _____. Caterina studia tante materie: italiano, storia, filosofia, francese, inglese, _____, arte, biologia, matematica ed _____. Ogni giorno ha tanti _____ per casa e ha poco tempo libero. Quando finisce, però, naviga in internet, gioca con i _____ o passeggia con gli amici. Il fine settimana, invece, fa un picnic con i genitori, va al _____ o in paninoteca con i _____, e a volte visita qualche parco naturale. Domani è il suo _____ e organizza una festa. Adesso, infatti, scrive ai compagni gli _____; più tardi passa in pasticceria per ordinare una grande _____ e in tabaccheria per comprare le _____.

Punti _____ 16

8 Abbina le frasi alle immagini.

1 ☐ Giovanni è dal dottore perché ha mal di pancia.

2 ☐ Valentina sta molto male, ha mal di denti.

3 ☐ Sandro non corre perché ha mal di piedi.

4 ☐ Vittoria e Francesca sono a casa perché hanno mal di gola.

5 ☐ Anna non studia perché ha mal di testa.

6 ☐ Leonardo non mangia niente perché ha mal di stomaco.

Punti _____ 6

9 Completa il brano con le parole giuste.

a ■ classe ■ due ■ il ■ italiano ■ la ■ maggio ■ musiche ■ suonano ■ 24

Gli Zero Assoluto sono un duo musicale pop _____, formato da Thomas De Gasperi e Matteo Maffucci. Compagni di _____ al liceo Giulio Cesare di Roma, formano il gruppo e all'inizio _____ musica rap. Il primo disco è del 1999 però arrivano al successo nel 2005 con ____ canzone *Semplicemente* e vincono ____ disco di platino. Nel 2006 partecipano al Festival di Sanremo. Le _____ degli Zero Assoluto sono nelle colonne sonore dei film *Scusa se ti chiamo amore* (2008) e *Scusa se ti voglio sposare* (2010) di Federico Moccia. I ____ cantanti abitano ____ Roma ma sono spesso in tournée. Thomas festeggia il compleanno il ____ giugno, mentre Matteo il 28 _____.

Punti _____ 10

Calcola il punteggio totale e verifica con l'insegnante. | **Punti** _____ **/ 80**

Gli Zero Assoluto

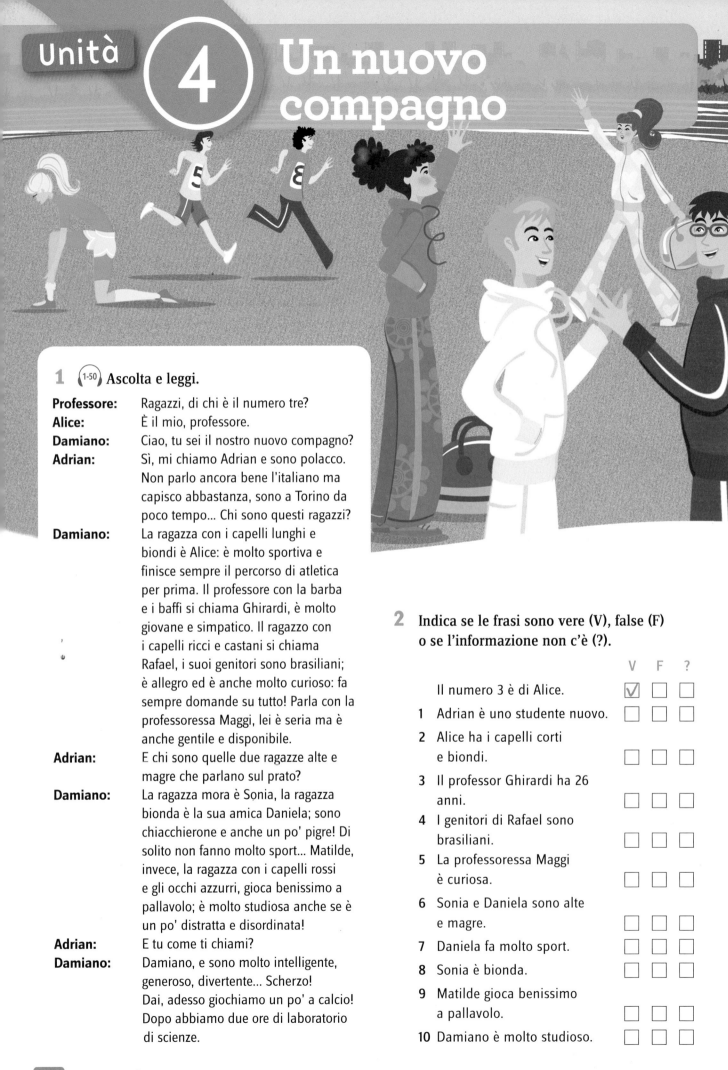

1 (1-50) Ascolta e leggi.

Professore: Ragazzi, di chi è il numero tre?

Alice: È il mio, professore.

Damiano: Ciao, tu sei il nostro nuovo compagno?

Adrian: Sì, mi chiamo Adrian e sono polacco. Non parlo ancora bene l'italiano ma capisco abbastanza, sono a Torino da poco tempo... Chi sono questi ragazzi?

Damiano: La ragazza con i capelli lunghi e biondi è Alice: è molto sportiva e finisce sempre il percorso di atletica per prima. Il professore con la barba e i baffi si chiama Ghirardi, è molto giovane e simpatico. Il ragazzo con i capelli ricci e castani si chiama Rafael, i suoi genitori sono brasiliani; è allegro ed è anche molto curioso: fa sempre domande su tutto! Parla con la professoressa Maggi, lei è seria ma è anche gentile e disponibile.

Adrian: E chi sono quelle due ragazze alte e magre che parlano sul prato?

Damiano: La ragazza mora è Sonia, la ragazza bionda è la sua amica Daniela; sono chiacchierone e anche un po' pigre! Di solito non fanno molto sport... Matilde, invece, la ragazza con i capelli rossi e gli occhi azzurri, gioca benissimo a pallavolo; è molto studiosa anche se è un po' distratta e disordinata!

Adrian: E tu come ti chiami?

Damiano: Damiano, e sono molto intelligente, generoso, divertente... Scherzo! Dai, adesso giochiamo un po' a calcio! Dopo abbiamo due ore di laboratorio di scienze.

2 Indica se le frasi sono vere (V), false (F) o se l'informazione non c'è (?).

	V	F	?
Il numero 3 è di Alice.	☑	☐	☐
1 Adrian è uno studente nuovo.	☐	☐	☐
2 Alice ha i capelli corti e biondi.	☐	☐	☐
3 Il professor Ghirardi ha 26 anni.	☐	☐	☐
4 I genitori di Rafael sono brasiliani.	☐	☐	☐
5 La professoressa Maggi è curiosa.	☐	☐	☐
6 Sonia e Daniela sono alte e magre.	☐	☐	☐
7 Daniela fa molto sport.	☐	☐	☐
8 Sonia è bionda.	☐	☐	☐
9 Matilde gioca benissimo a pallavolo.	☐	☐	☐
10 Damiano è molto studioso.	☐	☐	☐

In questa unità imparo:

- i nomi e gli aggettivi per la descrizione del carattere e dell'aspetto fisico, gli ambienti della scuola;
- a chiedere e dire di chi è un oggetto, a descrivere una persona;
- il presente indicativo dei verbi in -care e -gare, dei verbi della terza coniugazione in -isc-, del verbo 'fare'; gli aggettivi e i pronomi possessivi.

3 Trova nel cercaparole 5 aggettivi per indicare il colore degli occhi.

```
A  R  T  C  A  S  T  A  N  I
N  E  O  R  Z  A  R  S  T  O
E  N  O  P  Z  O  M  R  L  A
R  I  B  L  U  C  A  S  A  M
I  L  V  E  R  D  I  C  O  L
M  I  O  G  R  I  G  I  T  O
N  O  B  R  I  O  L  A  M  A
```

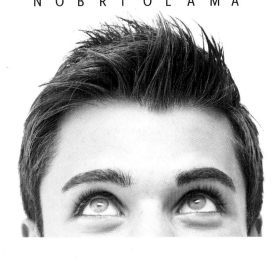

4 (1-51) Ascolta e ripeti il dialogo. Dopo domanda al compagno come sono le altre persone nel dialogo 1.

Com'è Alice?

Alice ha i capelli lunghi e biondi. È molto sportiva.

Com'è il professor Ghirardi?

È giovane e simpatico. Ha la barba e i baffi.

ADESSO TOCCA A TE!

5 In coppia. Descrivete i vostri compagni di classe.

Il carattere

1 (1-52) Completa le frasi con gli aggettivi, al maschile o al femminile. Dopo ascolta e controlla.

1 [A] chiacchierone
2 ☐ disordinato
3 ☐ divertente
4 ☐ goloso
5 ☐ intelligente
6 ☐ generoso
7 ☐ simpatico
8 ☐ pigro
9 ☐ studioso
10 ☐ timido

Lei è _chiacchierona_

Lui è _____

Lei è _____

Lui è _____

Lei è _____

Lei è _____

Lei è _____

Lui è _____

Lei è _____

Lui è _____

2 Abbina gli aggettivi ai loro contrari.

1 avaro
2 attivo
3 attento
4 ordinato
5 scherzoso
6 antipatico
7 noioso
8 buono
9 triste
10 aperto
11 coraggioso

a simpatico
b chiuso
c serio
d generoso
e pigro
f pauroso
g disordinato
h allegro
i distratto
l cattivo
m divertente

3 (1-53) Ascolta e completa.

La mia amica Carla è una ragazza molto
_____ e _____,
infatti quando sono con lei rido sempre!
È molto _____
e parla con tutti, io invece sono
un po' _____
e quando sono imbarazzato
arrossisco facilmente!
Carla è anche molto

_____,

mangia sempre tanti dolci.
A scuola è generalmente

_____

anche se a volte è troppo

_____ .

L'aspetto fisico

4 Scegli gli aggettivi giusti per completare le descrizioni.

1 Ha i capelli _____
e gli occhi _____ .
lunghi ▪ corti ▪ neri ▪ azzurri

2 Ha i capelli _____
e gli occhi _____ .
lunghi ▪ corti ▪ verdi ▪ neri

3 Ha i capelli _____
e gli occhi _____ .
ricci ▪ lisci ▪ verdi ▪ marroni

4 Ha i capelli _____
e gli occhi _____ .
ricci ▪ lisci ▪ azzurri ▪ marroni

5 Ha i capelli _____
e gli occhi _____ .
neri ▪ rossi ▪ verdi ▪ azzurri

6 Ha i capelli _____
e gli occhi _____ .
neri ▪ rossi ▪ verdi ▪ marroni

Attenzione! !

Per descrivere una persona con i capelli neri possiamo anche dire 'È mora'.

Per descrivere gli occhi marroni possiamo anche usare l'aggettivo 'castani'.

5 (1-54) Questi sono i pagliacci del Circo Super. Sono molto diversi tra loro. Ascolta e ripeti le descrizioni.

1 Stellina è alta.
2 Lunetta è bassa.
3 Formaggino è robusto.
4 Mammolo è magro.
5 Farfallina è grassa.

La scuola

6 (1-55) Completa le frasi come nell'esempio. Dopo ascolta e controlla.

aula magna ▪ campo sportivo ▪ corridoio ▪
cortile ▪ laboratorio di scienze ▪ palestra ▪
sala professori ▪ segreteria

Nel *corridoio* ci sono i distributori delle merendine.

1 Oggi in _____
c'è una conferenza.

2 Gli studenti fanno gli esperimenti nel _____
_____ .

3 Questa mattina al _____
c'è una gara di atletica.

4 Il ricevimento dei genitori è in _____
_____ .

5 Quando c'è il sole, gli studenti fanno
ricreazione in _____ .

6 I genitori sono in _____
per chiedere informazioni.

7 Gli studenti fanno ginnastica in _____
_____ .

Domandare e dire a chi appartiene un oggetto

1 (1-56) **Ascolta e leggi.**

A Di chi è questo libro?

B È di Adrian. E questi quaderni di chi sono?

A Sono i miei!

A Questo dizionario è il tuo?

B Sì, è il mio; e queste matite sono le tue?

A No, non sono le mie, sono di Daniela.

2 (1-57) **Completa il dialogo con i possessivi nel riquadro. Dopo ascolta e controlla.**

la sua ▪ il mio ▪ la mia ▪ i nostri ▪ la tua

Ada: Di chi è questo cellulare?

Fabrizio: È ___il mio___ !

Ada: E di chi sono questi zaini?

Fabrizio: Sono _____.

Ada: E la borsa blu di chi è? Di Lisa?

Fabrizio: Sì, è _____.

Ada: Questa palla è _____?

Fabrizio: No, non è _____, è di Bruno.

3 In coppia. Tu sei lo studente A. Chiedi allo studente B di chi sono gli oggetti non collegati ai ragazzi nel disegno. Lo studente B va a pagina 142 e risponde.

A Di chi è il cellulare? È di Rafael?

B No, non è il suo, è di Silvia.

Matilde

Silvia

Rafael

ADESSO TOCCA A TE!

4 In coppia. Guardati intorno e domanda al compagno di chi sono gli oggetti che vedi in classe.

Lo zaino rosso è di...?

No, non è di..., è di...!
E la penna nera è di...?

Sì, è la sua!

Descrivere fisicamente una persona

5 (1-58) Ascolta e ripeti.

A Com'è Fabrizio?

B È alto e robusto. Ha gli occhi neri. Ha i capelli ricci e castani.

A Com'è Margherita?

B È bassa e magra. Ha gli occhi azzurri e porta gli occhiali. Ha i capelli rossi e ondulati.

6 In gruppo. Scegli una di queste persone e descrivila. I tuoi compagni devono indovinare chi è.

> È alta e magra. Ha i capelli lunghi, rossi e mossi.

> È...

Samuele

Paolo

Valentina

Laura

Eugenio

Luca

Stefania

Federica

Descrivere il carattere

7 (1-59) Ascolta e ripeti.

A Com'è il tuo amico?

B È gentile e simpatico.

A Com'è tua sorella?

B È pigra e golosa.

8 In coppia. Guardate le immagini, fate delle domande e rispondete, come nell'esercizio 7.

Lorena

Ruggero

1 _____

2 _____

Tiziano

Rossella

3 _____

4 _____

9 In coppia. Descrivete a turno un compagno di classe e indovinate chi è.

Presente indicativo dei verbi in -care e -gare

Dimenticare	Pagare
io dimentico	io pago
tu dimentichi	tu paghi
lui/lei dimentica	lui/lei paga
noi dimentichiamo	noi paghiamo
voi dimenticate	voi pagate
loro dimenticano	loro pagano

> I verbi che finiscono in **-care** e **-gare** prendono la 'h' prima della desinenza alla 2ª persona singolare e alla 1ª persona plurale.

Presente indicativo dei verbi in -isc-

Finire	Capire
io fin**isc**o	io cap**isc**o
tu fin**isc**i	tu cap**isc**i
lui/lei fin**isc**e	lui/lei cap**isc**e
noi finiamo	noi capiamo
voi finite	voi capite
loro fin**isc**ono	loro cap**isc**ono

> Alcuni verbi del terzo gruppo (-ire) alle tre persone singolari e alla 3ª plurale prendono -isc- fra la radice del verbo e la desinenza del presente.
> I verbi più comuni sono **arrossire**, **capire**, **dimagrire**, **finire**, **preferire**, **pulire**, **spedire**, **starnutire**, **tossire**, **ubbidire**.

1 Abbina i verbi ai pronomi.

1	paghi	a	**io**	7	spieghiamo
2	capisco	b	**tu**	8	arrossite
3	preferite	c	**lui/lei**	9	dimentica
4	giocano	d	**noi**	10	finisco
5	spediamo	e	**voi**	11	litigano
6	tossisce	f	**loro**	12	preghi

2 Guarda le foto e scrivi cosa fanno queste persone.

arrossire ■ starnutire ■ spedire un'email ■ pulire

1 Lei _____

2 Lui _____

3 Lui _____

4 Lei _____

Presente indicativo del verbo fare

Fare
io faccio
tu fai
lui/lei fa
noi facciamo
voi fate
loro fanno

3 Completa le frasi con il verbo 'fare'.

I miei amici *fanno* una gara di atletica al campo sportivo.

1 Noi _____ ginnastica in palestra.

2 Il professore e il tecnico oggi _____ lezione nell'aula multimediale.

3 La preside _____ una riunione in presidenza.

4 Tu _____ una telefonata in corridoio.

5 Oggi io _____ la ricreazione in cortile.

6 Ragazzi, voi _____ la verifica di inglese nel laboratorio linguistico?

Gli aggettivi e i pronomi possessivi

MASCHILE

Singolare	Plurale
il mio	i miei
il tuo	i tuoi
il suo	i suoi
il nostro	i nostri
il vostro	i vostri
il loro	i loro

FEMMINILE

Singolare	Plurale
la mia	le mie
la tua	le tue
la sua	le sue
la nostra	le nostre
la vostra	le vostre
la loro	le loro

> La forma del possessivo è la stessa sia quando è aggettivo sia quando è pronome.
> Quando il possessivo è pronome può essere senza articolo.

4 Completa le frasi con i possessivi.

Andrea e Giulio passano il fine settimana con ____la loro____ famiglia.

1 Rafael, di dove sono _____ genitori?

2 Sonia e Daniela sono pigre, _____ attività preferita è guardare la TV.

3 Io sono Adrian e questi sono _____ compagni di classe.

4 Noi siamo in classe e _____ professoressa spiega la grammatica inglese.

5 Voi siete molti studenti ma _____ classe è molto piccola.

6 Quella ragazza si chiama Matilde e le due ragazze con lei sono _____ amiche.

7 Abbiamo molti compiti per casa, _____ professori sono molto esigenti.

8 Sono di Torino, amo molto _____ città.

5 Completa la tabella con i possessivi.

io	le mie	penne	il mio	astuccio
tu		occhi		barba
lui/lei		zaino		capelli
noi		classe		direttore
voi		biciclette		cane
loro		casa		professore

COME SI PRONUNCIA?

La lettera 'g' seguita da vocali o da 'h'

1 (1-60) Ascolta, fa' attenzione alla pronuncia e ripeti.

giorno ▪ righello ▪ funghi ▪ gelatina ▪ giostra ▪ agenzia ▪ ghianda ▪ gatto ▪ auguri ▪ digestione ▪ aragosta ▪ sughero ▪ gennaio ▪ gioia

La lettera 'g' ha un **suono duro** quando:
- è seguita dalle vocali 'a', 'o', 'u'
- è seguita dalla lettera 'h' + le vocali 'e', 'i'.

Ha un **suono dolce** quando:
- è seguita dalle vocali 'e', 'i'.

2 (1-61) Leggi queste frasi. Dopo ascolta e controlla.

1 Il professor Ghirardi ha un gatto giovane.
2 La Liguria è una regione italiana.
3 Questa sera mangiamo la pizza margherita.
4 Il dottor Marghi ha una giacca gialla.
5 Giovanni ha il singhiozzo.
6 I miei genitori sono di Alghero.

3 (1-62) Ascolta e completa le frasi.

La ____sfinge____ è in Egitto.

1 Diego mangia gli _____ al sugo.

2 Questo pacco è molto _____.

3 Le mie _____ sono molto lunghe.

4 L'_____ di Ugo è gialla.

5 Il _____ è un animale molto veloce.

6 La professoressa Arteghini oggi spiega _____.

Leggere

Alle Tremiti la scuola più piccola d'Italia

Solo due scolari alle elementari: sono fratello e sorella

La scuola elementare più piccola d'Italia è alle isole Tremiti, un gruppo di piccole isole nel mare Adriatico, dove abitano circa trecento persone. Ci sono solo due studenti: una bambina che frequenta la quinta e il suo fratellino che frequenta la prima. Fanno lezione insieme in una classe unica, in una casetta vicina al mare, con una sola maestra. In queste isole c'è anche una scuola media dove quest'anno gli alunni sono quattro: tre frequentano la seconda e uno la terza. Ci sono solo tre professori: uno insegna le materie letterarie, uno le materie scientifiche e l'altro insegna le lingue.

1 Leggi il testo e completa le frasi con la parola giusta.

  1 Alle isole Tremiti _____ circa trecento persone.

  lavorano ▪ abitano ▪ studiano

  2 Alla scuola elementare la bambina frequenta la _____.

  prima ▪ terza ▪ quinta

  3 Alle medie ci sono _____ studenti.

  tre ▪ quattro ▪ uno

  4 Alle medie insegnano _____ professori.

  due ▪ tre ▪ quattro

Parlare

2 In coppia. Guardate la foto e descrivete questi ragazzi.

Ascoltare

3 (1-63) Ascolta il dialogo tra Patrizia e Luigi e completa la tabella.

	Gianni	Eleonora	il professor Guidi	Maria	il tecnico
Dov'è?					
Cosa fa?					

4 (1-64) Chi sono? Ascolta la descrizione e indica a quale immagine corrisponde.

1 ☐　　　　　　2 ☐　　　　　　3 ☐

Scrivere

5 Scrivi a un amico e descrivi la tua scuola.

_____

_____

_____

_____

Un giro a Torino

1 Leggi il testo e abbina le descrizioni alle fotografie.

Torino è il capoluogo del Piemonte. La città ha una bella posizione vicino alle Alpi, ideale per chi ama sciare, ed è bagnata da due fiumi, il Po e la Dora Riparia. È una città ricca di luoghi da visitare, antichi e moderni. Facciamo una gita panoramica!

1 ☐ Il Borgo è all'interno del Parco del Valentino. Costruito nel 1884, riproduce una cittadina medievale con case, chiese, piazze e fontane. All'interno del Borgo c'è la Rocca, una fortezza con prigioni, camere per i soldati, cucine e stanze per i signori del palazzo.

2 ☐ Il Museo egizio è il più importante al mondo dopo quello del Cairo. Ci sono mummie, oggetti di grande valore provenienti da tombe antiche e anche un intero tempio.

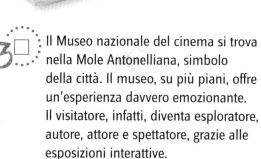

a

3 ☐ Il Museo nazionale del cinema si trova nella Mole Antonelliana, simbolo della città. Il museo, su più piani, offre un'esperienza davvero emozionante. Il visitatore, infatti, diventa esploratore, autore, attore e spettatore, grazie alle esposizioni interattive.

4 ☐ Il Lingotto è un vecchio stabilimento della fabbrica di automobili FIAT. Rifatto dal famoso architetto Renzo Piano, oggi ospita la Fiera di Torino, un centro commerciale, un cinema multisala, un centro congressi e un auditorium.

5 ☐ Superga è una collina a est di Torino, dove c'è una famosa basilica. È il posto ideale per i pic-nic e per passare una giornata all'aperto. Per salire sulla collina si usa la divertente tramvia costruita nel 1884.

6 ☐ Ma il simbolo più dolce e ghiotto di Torino è il gianduiotto, un buonissimo cioccolatino a forma di barca capovolta, apprezzato da 150 anni in tutto il mondo.

b

c

d

e

f

2 **Rileggi il testo e completa le frasi.**

1 Torino è vicino:

☐ al mare. ☐ alle montagne.

2 La Rocca è:

☐ una fortezza. ☐ una chiesa.

3 Nel Museo egizio ci sono:

☐ quadri. ☐ mummie.

4 Il Museo nazionale del cinema è:

☐ nella Mole. ☐ in montagna.

5 Nel Lingotto oggi c'è:

☐ una fabbrica. ☐ un cinema.

6 Per salire a Superga si prende:

☐ la metropolitana. ☐ la tramvia.

7 Il gianduiotto è un cioccolatino a forma:

☐ di mondo. ☐ di barca capovolta.

VIDEO

CLICCA E GUARDA

Entriamo insieme nella Mole Antonelliana
per visitare il Museo del Cinema di Torino.

Trovi il video nel libro digitale.

1 (2-1) **Ascolta e leggi.**

Rafael: Sono due ore che parliamo al telefono... È tardi, andiamo a letto.

Ling: Ma che ore sono?

Rafael: Sono già le nove e mezza e domani mattina mi alzo presto perché ho ancora qualche esercizio da fare!

Ling: Di solito, invece, a che ora ti alzi?

Rafael: Alle sette. Poi mi faccio la doccia, mi vesto e vado a scuola in bici. E tu?

Ling: Io mi sveglio alle sette e mezza, mi preparo velocemente e faccio colazione: bevo un bicchiere di latte e mangio pane e marmellata. Poi esco e vado a prendere l'autobus. Arrivo a scuola alle otto e venti.

Rafael: E dopo le lezioni?

Ling: All'una e mezza pranzo con i miei compagni. Poi prendo l'autobus e torno a casa. Dalle tre alle sei studio.

Rafael: E dove vai il sabato e la domenica?

Ling: Il sabato pomeriggio esco con le mie amiche: andiamo in centro, oppure in piscina o a pattinare. La domenica sto a casa, ma a volte vado con la mia famiglia in campagna. E tu cosa fai il sabato e la domenica?

Rafael: Il sabato pomeriggio gioco al computer o vado al cinema con gli amici. La domenica mattina mi sveglio tardi, pranzo con la mia famiglia e poi gioco a pallone. La sera guardo la tv ma vado a letto presto. Adesso invece è davvero tardi! Buonanotte Ling!

Ling: Buonanotte!

2 **Completa le frasi.**

Rafael adesso
a ☑ va a letto.
b ☐ si alza.

1 Rafael di solito si alza
a ☐ alle nove e mezza.
b ☐ alle sette.

2 Rafael va a scuola
a ☐ in bici.
b ☐ in autobus.

3 Ling a colazione
a ☐ beve il latte.
b ☐ beve il tè.

4 Ling pranza
a ☐ con la famiglia.
b ☐ con i compagni.

5 Ling il sabato pomeriggio esce
a ☐ con le amiche.
b ☐ con Rafael.

6 Rafael la domenica sera
a ☐ gioca a pallone.
b ☐ guarda la tv.

In questa unità imparo:

- le attività quotidiane, l'ora, i giorni della settimana, gli avverbi di frequenza;
- a chiedere e dire l'ora, a chiedere e dire a che ora si fanno delle azioni, a chiedere e dire dove si va;
- le preposizioni per esprimere il tempo e il luogo, il presente indicativo dei verbi riflessivi, il presente indicativo dei verbi 'bere', 'uscire', 'andare'.

3 Abbina le immagini alle frasi.

1 ☐d☐ Rafael va al cinema con gli amici.

2 ☐ Rafael gioca a pallone.

3 ☐ Ling va in piscina.

4 ☐ Rafael va a scuola in bicicletta.

5 ☐ Ling pranza a casa.

6 ☐ Rafael gioca al computer.

4 Rileggi il dialogo e completa il testo.

Di solito Ling la mattina ___si sveglia___ alle sette e mezza, _____ velocemente e _____ colazione. _____ un bicchiere di latte e _____ pane e marmellata. Poi _____ e va a prendere l'autobus. _____ a scuola alle otto e venti. Il pomeriggio dalle tre alle sei _____. Il sabato pomeriggio _____ con le sue amiche.

ADESSO TOCCA A TE!

5 Tu, invece, che cosa fai di solito?

La mattina _____

_____

Il pomeriggio _____

_____

La sera _____

_____

La moka, un simbolo della colazione italiana

Le parti della giornata

1 (2-2) **Ascolta e ripeti.**

Di mattina vado a
scuola.

Di pomeriggio
faccio i compiti.

Di sera guardo
la televisione.

Di notte dormo.

Attenzione!

Per indicare i momenti della giornata possiamo usare anche l'articolo determinativo:
**la mattina** _vado a scuola._

2 (2-3) **Completa il testo con le parti della
giornata. Dopo ascolta e controlla.**

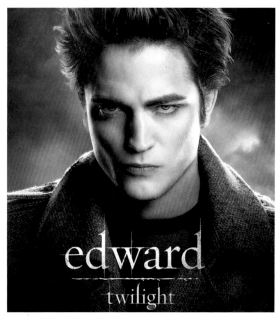

Sono una persona un po' particolare: sono un
vampiro e faccio tutto al contrario! Dormo
_____
e vivo _____.
Mi sveglio _____,
quando è buio, e vado a letto _____
_____, quando comincia a fare
giorno. La mia è una vita proprio strana!

Gli avverbi di tempo

3 (2-4) **Ascolta e completa le frasi con gli
avverbi di tempo. Dopo ritrovali nella
serpentina.**

1 Pietro arriva _____ in ufficio.
2 Carolina domani si sveglia _____.
3 Tu arrivi a scuola sempre in _____.
4 Oggi l'autobus è in _____.

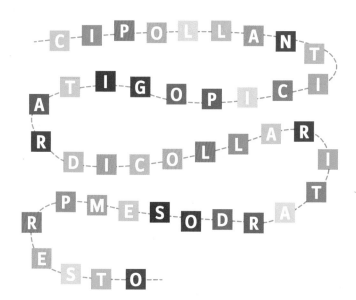

I giorni della settimana

4 Guarda il calendario e completa le frasi.

Loretta

LUNEDÌ ore 19 appuntamento con Angelo
MARTEDÌ ore 14 visita al museo
MERCOLEDÌ ore 17 lezione di hip hop
GIOVEDÌ ore 18 cinema con Mara
VENERDÌ ore 20 cena a casa di Alexandra
SABATO ore 10 mercatino delle pulci
DOMENICA ore 12 picnic in campagna con i cugini

Lunedì Loretta ha un appuntamento con Angelo.

1 _____ va al mercatino delle pulci.

2 _____ fa lezione di hip hop.

3 _____ cena a casa di Alexandra.

4 _____ visita il museo con la scuola.

5 _____ fa il picnic in campagna con i cugini.

6 _____ va al cinema con Mara.

Gli avverbi di frequenza

SEMPRE	★★★★★	A VOLTE / QUALCHE VOLTA	★★
DI SOLITO	★★★★	RARAMENTE	★
SPESSO	★★★	MAI	✗

5 (2-5) Completa con gli avverbi di frequenza. Dopo ascolta e controlla.

Il lunedì *di solito* mi alzo alle 7.00 per andare a lavorare. ★★★★

1 La domenica non mi alzo _____ prima delle 9.00. ✗

2 Il sabato sera _____ vado a cena al ristorante. ★★

3 La mattina a colazione bevo _____ il tè. ★★★★★

4 Non sono una persona puntuale, arrivo _____ in ritardo. ★★★

5 Durante la settimana _____ torno a casa per pranzo. ★

Le attività quotidiane

6 (2-6) La giornata di Melissa. Scrivi i verbi sotto le immagini corrispondenti. Dopo ascolta e controlla.

si sveglia ▪ dorme ▪ cena ▪ si pettina ▪ pranza ▪ fa la doccia ▪ va a scuola ▪ si mette il pigiama ▪ fa i compiti ▪ va a letto ▪ fa colazione ▪ si lava i denti

Alle 7.00
si sveglia .

Alle 7.15
_____ .

Alle 7.30
_____ .

Alle 7.35
_____ .

Alle 7.45
_____ .

Alle 8.00
_____ .

Alle 13.30
_____ .

Alle 15.00
_____ .

Alle 20.00
_____ .

Alle 21.15
_____ .

Alle 21.30
_____ .

Alle 21.45
_____ .

Chiedere e dire l'ora

Attenzione!

10.00	Sono le dieci.
12.00	Sono le dodici/È mezzogiorno.
13.00	Sono le tredici/È l'una.
24.00	Sono le ventiquattro/È mezzanotte.
18.10	Sono le diciotto e dieci/Sono le sei e dieci.
04.40	Sono le quattro e quaranta/Sono le cinque meno venti.
11.15	Sono le undici e quindici/Sono le undici e un quarto.
08.30	Sono le otto e trenta/Sono le otto e mezza.
15.30	Sono le quindici e trenta.
07.45	Sono le sette e quarantacinque/Sono le sette e tre quarti/Sono le otto meno un quarto.

1 $\left(^{2-7}\right)$ Ascolta e ripeti.

Scusi, che ore sono?
Sono le 10.00.

Scusa, che ora è?
Sono le 11.15.

Sai l'ora, per favore?
Sono le 08.30.

Scusi, sa l'ora?
Sono le 07.45.

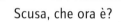

2 In coppia. A turno, chiedete e dite le ore indicate negli orologi seguendo i modelli dell'esercizio 1.

1 `17.30` A _____ B _____

2 `12.30` A _____ B _____

3 `03.10` A _____ B _____

4 `06.45` A _____ B _____

5 `01.25` A _____ B _____

6 `20.35` A _____ B _____

7 `09.15` A _____ B _____

Chiedere e dire a che ora si fanno delle azioni

3 (2-8) In coppia. Ascoltate e ripetete i dialoghi.

1 A A che ora vai a scuola la mattina?
   B Esco di casa alle 08.10 e arrivo a scuola alle 08.30.

2 A Sai l'orario di apertura della posta?
   B La posta è aperta dalle 08.00 alle 13.45.

3 A Da che ora a che ora riceve il professore?
   B Riceve dalle 10.20 alle 11.20.

4 A Scusi, perché il supermercato è chiuso?
   B Perché è ancora presto: il supermercato apre alle 08.15.

4 In coppia. Chiedi al compagno a che ora si alza, fa colazione, esce di casa e arriva a scuola.

Chiedere e dire dove si va

5 In coppia. Leggete e ripetete i dialoghi.

> Come sei elegante! Dove vai questa sera?

> Vado a una festa di compleanno.

> Dove andate per la cena di fine anno?

> Andiamo a mangiare la pizza con i professori.

6 (2-9) Ascolta il dialogo e completa il testo.

Ling: Ciao Rafael, che fai questa sera?

Rafael: Vado al cinema con Damiano e Adrian.

L: _____ ?

R: L'ultimo film di Roberto Benigni.

L: Che bello! _____ ?

R: Al cinema Trianon.

L: E _____ inizia il film?

R: Inizia alle 18.30. Tu invece cosa fai?

L: Prima faccio i compiti, poi vado anche io al cinema con Alessia.

R: E _____ ?

L: L'ultimo film di Cristina Comencini.

1 (2-10) Ascolta e ripeti.

1	sciare	5	conosciuto
2	maschi	6	scarpa
3	pesce	7	sciarpa
4	pesche	8	casco

Il gruppo di lettere 'sc' ha un **suono duro** quando:

- è seguito dalle vocali 'a', 'o', 'u': **sca - sco - scu**;

- è seguito dalla lettera 'h' + le vocali 'e', 'i': **sche - schi**;

ha un **suono dolce** quando è seguito dalle vocali 'e', 'i':

sce - sci - scia - scio - sciu.

2 (2-11) Ascolta le parole e scrivile nello schema secondo la pronuncia.

sche	schi	sce	sci
schema			

3 (2-12) Leggi queste frasi. Dopo ascolta e controlla.

1 Alice ha i capelli lisci.

2 In laboratorio di scienze c'è uno scheletro di plastica.

3 Enrico ha mal di schiena.

4 Gli studenti compilano la scheda di iscrizione al torneo.

5 I miei amici comprano un nuovo paio di sci.

6 L'attore è in teatro e recita sulla scena.

7 Il gatto mangia il pesce ma lascia le lische.

8 Oggi, all'uscita di scuola, partecipo a una gara di scherma.

Presente indicativo dei verbi riflessivi

Alzarsi	
io **mi** alzo	noi **ci** alziamo
tu **ti** alzi	voi **vi** alzate
lui/lei **si** alza	loro **si** alzano

> I verbi riflessivi si formano con i pronomi **mi**, **ti**, **si**, **ci**, **vi**, **si** seguiti dal verbo coniugato.

1 Collega i pronomi ai verbi.

1	tu	vi	veste
2	noi	si	chiami
3	voi	ci	pettinano
4	io	si	alziamo
5	loro	ti	sveglio
6	lui/lei	mi	lavate

Le preposizioni per indicare il tempo

> La preposizione **a** si usa per indicare a che ora si fa un'azione.
> *Oggi esco **a** mezzogiorno.*
> *La domenica facciamo colazione **alle** dieci.*
>
> Le preposizioni **da** (+art.) ... **a** (+art.) indicano quando comincia e finisce un'azione.
> *Faccio ginnastica **da** mezzogiorno **all'**una.*
> *Il supermercato è aperto **dal** lunedì **al** sabato, **dalle** 8.00 **alle** 20.00.*
>
> La preposizione **di** indica la parte della giornata o il giorno in cui regolarmente si compie un'azione.
> *Di mattina vado sempre a scuola.*
> *Dormo fino a tardi solo **di** domenica.*
>
> La preposizione **in** si usa davanti alle espressioni di tempo che indicano ritardo o anticipo.
> *Michele è come al solito **in** ritardo.*
> *Vera arriva **in** anticipo all'appuntamento.*

> ## Attenzione!
> 'a' + articolo
> 'da' + articolo
> (Vedi schema a p. 121).

2 Completa le frasi con le preposizioni.

Ogni sera _alle_ 20.00 guardo il telegiornale.
1 Mariella arriva sempre agli appuntamenti _____ anticipo.
2 La banca è aperta _____ lunedì _____ venerdì.
3 La segreteria è aperta _____ 09.00 _____ 13.00.
4 _____ mattina prendo sempre la metro.
5 Non puoi andare a teatro _____ lunedì: è chiuso.
6 Oggi mia madre va al lavoro _____ 10.00.
7 Andrea è molto pigro e sempre _____ ritardo.
8 Scusi, _____ che ora parte il treno per Orvieto?

Il duomo di Orvieto

Presente indicativo di andare, bere e uscire

Andare	Bere	Uscire
io vado	bevo	esco
tu vai	bevi	esci
lui/lei va	beve	esce
noi andiamo	beviamo	usciamo
voi andate	bevete	uscite
loro vanno	bevono	escono

3 Completa le frasi con i verbi.

I ragazzi (bere) _bevono_ un'aranciata.

1 Io (uscire) _____ di casa ogni mattina alle 8.00.

2 Voi (uscire) _____ da scuola alle 13.30.

3 Noi non (bere) _____ mai il caffè.

4 Tu (andare) _____ ogni mattina a correre.

5 Il lunedì Carlo e Piero (uscire) _____ tardi dal lavoro.

6 La sera Beatrice (bere) _____ sempre una tisana.

7 Di sabato noi (andare) _____ a giocare a tennis.

8 Viola (andare) _____ in pizzeria con gli amici.

Le preposizioni con il verbo 'andare'

Per indicare la destinazione dopo il verbo 'andare' si usano le preposizioni **a** e **in**:

a: **a** casa, **a** scuola, **a** lezione, **a** teatro, **a** letto, **al** ristorante, **al** mare, **al** cinema, **al** supermercato, **al** lavoro, **allo** stadio, **all'**estero; con le città: andare **a** Pisa;

■ davanti a un verbo infinito: andare **a** mangiare, andare **a** giocare, andare **a** sciare;

in: **in** montagna, **in** campagna, **in** piscina, **in** centro, **in** banca, **in** ufficio, **in** palestra, **in** classe; con i continenti, le nazioni e le regioni: andare **in** America;

■ con le parole che terminano in **-teca** e **-ia**: andare **in** biblio**teca**, andare **in** pasticce**ria**, andare **in** disco**teca**, andare **in** pizze**ria**.

---

4 Guarda le immagini e completa le frasi con il verbo 'andare', la preposizione e il luogo.

Germano _va in classe_.

Tu sei molto goloso e _____ spesso _____.

I Ferrante quando c'è il sole _____ sempre _____.

Giorgia ogni venerdì sera _____ dove abitano i suoi genitori.

Il sabato sera i ragazzi _____.

Ogni mercoledì pomeriggio io _____.

Oggi pomeriggio io e Patrizia _____ con gli amici.

Di solito in estate voi _____.

Questa sera Bruno ed Elena _____.

Quando abbiamo educazione fisica _____.

Il fine settimana Giovanni e Francesca _____.

Voi d'inverno _____ _____.

Leggere

1 Leggi il testo e rispondi alle domande.

La giornata del cane Paco

Mi sveglio la mattina presto, quando sento i rumori delle macchine in strada. Mi alzo dalla cuccia in silenzio e aspetto la sveglia che suona alle 7.00. Driin, driin! La famiglia si alza: è ora di colazione, anche per me. I ragazzi si preparano e vanno a scuola, la mamma invece mi porta a fare una passeggiata, prima di andare al lavoro. Resto solo a casa fino all'ora di pranzo, quando i ragazzi tornano e usciamo insieme a fare una corsa nel parco. Il pomeriggio dormo, mentre gli altri fanno i compiti. La sera ceniamo e, prima di andare a dormire, il papà mi porta a fare una breve passeggiata davanti a casa. Infine andiamo tutti a letto, ma prima mi danno un'ultima carezza.

La giornata della gatta Marachella

Mi sveglio presto ma resto tranquilla, finché non suona la sveglia. Alle 7.15 tutta la famiglia si alza e, mentre a turno i ragazzi vanno in bagno, la mamma prepara il latte per me e la cioccolata per loro.
Alle 8.00 escono tutti di casa e io resto sola. Gioco un po' con le palline, mi siedo davanti alla finestra e poi dormo fino all'ora di pranzo quando torna il figlio più piccolo, Giulio. Giochiamo un po' insieme, poi, mentre lui studia, io mi metto vicino alla porta ad aspettare sua sorella Carlotta che rientra da scuola alle 14.30. Anche lei fa i compiti e io allora vado a fare un giretto in giardino: inseguo gli insetti, corro sul prato e prendo il sole. La sera, dopo cena, i ragazzi mi fanno un po' di coccole e, mentre mi accarezzano, mi addormento.

		Paco	Marachella
1	Chi sente i rumori delle macchine?	✓	
2	Chi beve il latte?		
3	Chi gioca con le palline?		
4	Chi esce con la mamma?		
5	Chi insegue gli insetti?		
6	Chi fa una corsa al parco?		
7	Chi fa una passeggiata dopo cena?		
8	Chi si addormenta mentre lo accarezzano?		

Ascoltare

2 (2-13) Ascolta una giornata tipo della famosa cantante italiana Laura Pausini e indica se le affermazioni sono vere (V) o false (F).

		V	F
Laura si sveglia alle 10.00.		☐	☑
1 Laura legge su Internet il forum dei suoi fan.		☐	☐
2 Laura canta tutto il giorno per prepararsi per il concerto.		☐	☐
3 Laura per rilassarsi legge riviste sportive.		☐	☐
4 Al controllo del suono sono presenti i fan del suo forum.		☐	☐
5 Laura si pettina, si trucca e si veste per il concerto.		☐	☐
6 Il concerto inizia alle 20.00.		☐	☐
7 A fine spettacolo Laura ringrazia i tecnici.		☐	☐
8 Laura corre via senza salutare.		☐	☐

Parlare

3 In coppia. Raccontatevi a turno la vostra giornata tipo.

Scrivere

4 Adesso scrivi la giornata raccontata dal tuo compagno.

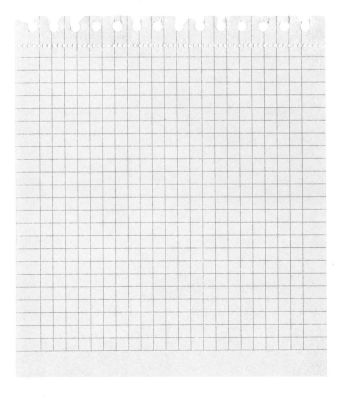

Competenza linguistica

5 Completa il testo con le parole mancanti.

Siaka ha 18 anni, è un ragazzo del Mali e abita a Roma con la (1) _____ famiglia. La mattina (2) _____ alza alle 7.30 e va (3) _____ scuola. È bravo soprattutto in storia e scienze. (4) _____ 13.30 torna a (5) _____, pranza, porta a passeggio il suo cane e dopo (6) _____ i compiti. Di pomeriggio, (7) _____ lunedì al venerdì si allena in palestra, Siaka infatti è un bravo giocatore di pallacanestro; il (8) _____, invece, esce con gli amici. La (9) _____, di solito, sta a casa, guarda la TV o legge un libro, ma se è molto stanco va a (10) _____ presto.

Come sono i pasti nel tuo Paese? Leggi il testo e fai un confronto con l'Italia.

In genere i pasti in Italia sono tre (colazione, pranzo e cena) più la merenda del pomeriggio per i bambini. Per gli italiani mangiare con gli amici o con la famiglia è un momento d'incontro molto importante.

A tavola con gli italiani

La colazione

La colazione di solito si fa tra le sette e le otto del mattino. Tradizionalmente la colazione italiana è composta da una bevanda calda (caffè, latte, tè) accompagnata da qualcosa di dolce (biscotti, pane burro e marmellata, brioche). Quando non si ha tempo per fare colazione in casa, si va al bar e si prende il classico cappuccino e cornetto. A volte, a metà mattinata, si fa una pausa per un caffè o per uno spuntino.

Il pranzo

L'ora del pranzo è fra l'una e le due. Ormai molti italiani, costretti dall'orario di lavoro, fanno un pasto leggero e veloce: un panino, una pizzetta, un'insalata o un piatto unico. Spesso la domenica la famiglia si riunisce per un pranzo di tipo tradizionale: antipasto, primo piatto di pasta, secondo a base di carne o pesce, contorno di verdura, frutta e per finire il caffè con dei dolci.

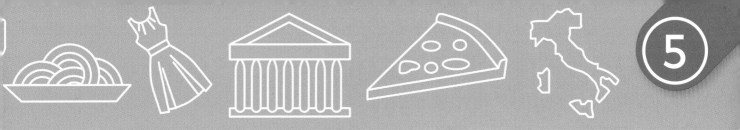

La merenda

La merenda è il momento della giornata più atteso dai bambini. Verso le cinque, infatti, si fa uno spuntino: un panino, un gelato o una merendina con un succo di frutta o un bicchiere di latte.

La cena

La cena è il momento di ritrovo della famiglia al termine della giornata di lavoro o di studio.
Al Nord si mangia verso le sette e mezza, al Sud anche più tardi. La cena è più completa del pranzo consumato fuori casa, anche se ultimamente molti preferiscono rinunciare al piatto di pasta e mangiare cose più veloci come salumi e formaggi, zuppe o verdura e frutta.

VIDEO

CLICCA E GUARDA

Un servizio del Tg1 dedicato alla merenda: tante idee sane e gustose per lo spuntino dei ragazzi.

Trovi il video nel libro digitale.

1 (2-14) **Ascolta e leggi.**

Silvia:	Ciao Alberto!
Federico:	No, io non sono Alberto, sono suo fratello gemello! Mi chiamo Federico. Alberto è qui dietro!
Alberto:	Ciao Silvia! Vieni, entra!
Silvia:	Ma tu hai un fratello gemello!? Siete identici!
Alberto:	Sì, anche mio nonno e suo fratello sono gemelli. Sono questi due signori nella foto. E questa signora, invece, è mia nonna. Lei non è di Torino, viene dall'Umbria, da Perugia.
Silvia:	Sono i tuoi nonni materni?
Alberto:	No, paterni. I miei nonni materni sono qui in soggiorno, stanno guardando la tv. Dai, non stiamo qui nell'ingresso, andiamo in soggiorno anche noi, così ti presento i miei genitori!
Silvia:	Ciao Macchia! Ma cosa sta facendo?
Alberto:	Come sempre sta giocando con le pantofole di mio padre!
Silvia:	Buongiorno, io sono Silvia.
Madre e padre:	Ciao Silvia! Piacere!
Silvia:	Piacere! Alberto, dov'è tua sorella?
Alberto:	È nella sua camera, sta studiando per la verifica di domani. E tu Silvia, hai fratelli o sorelle?
Silvia:	No, io sono figlia unica.
Alberto:	Senti, vieni con me in cucina? Ho un po' fame e sul tavolo ci aspetta una bella torta di mele!
Silvia:	Ottimo! Dopo usciamo con Macchia?
Alberto:	Ma certo! Proprio qui vicino c'è un bel parco!
Silvia:	Un parco qui vicino? Ma dov'è?
Alberto:	Dietro il nuovo centro commerciale.

2 **Indica se le frasi sono vere (V) o false (F).**

		V	F
	Alberto ha un fratello gemello.	☑	☐
1	Il fratello di Alberto si chiama Federico.	☐	☐
2	Alberto mostra una foto a Silvia.	☐	☐
3	La nonna paterna di Alberto è di Torino.	☐	☐
4	I nonni materni di Alberto stanno guardando la tv.	☐	☐
5	Il cane di Alberto si chiama Macchia.	☐	☐
6	Macchia sta giocando con la madre di Alberto.	☐	☐
7	La sorella di Alberto è nella sua camera.	☐	☐
8	La torta di mele è sul tavolo.	☐	☐
9	Dopo portano il cane al parco.	☐	☐
10	Il parco è dietro il centro commerciale.	☐	☐

In questa unità imparo:

- a parlare della famiglia e della casa;
- a chiedere e dire cosa sta facendo una persona, a chiedere e dire dove sono le persone e gli oggetti, a chiedere e dire da dove vengono le persone;
- il presente progressivo, il presente indicativo del verbo 'venire', le preposizioni di luogo.

6

3 Scrivi chi sono queste persone per Alberto.

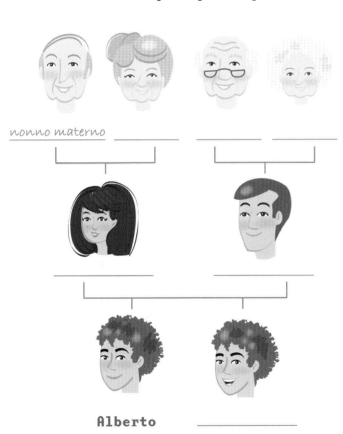

nonno materno _____   _____   _____

Alberto _____

ADESSO TOCCA A TE!

4 Completa il tuo albero genealogico.

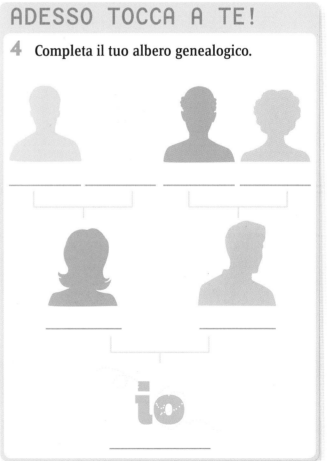

io

_____

La famiglia di Alice

1 (2-15) **Ascolta e completa.**

Mia _____
Rosanna

Io (Alice)

Mio _____
Teo

Mio _____
Antonio

Mia _____
Raffaella

Mio _____
Guido

Mio _____
Giovanni

La mia gatta
Mirimì

Mia _____
Lucilla

Mio _____
Carlo

Mia _____
Clelia

Mia _____
Adriana

Buono a sapersi!

Nel linguaggio familiare al posto di 'madre' e 'padre' si usano 'mamma' e 'papà'.

Per il padre si usa, più raramente, 'babbo', soprattutto in Toscana.

La parola 'nipote' (maschile e femminile) indica sia i figli dei figli, sia i figli dei fratelli e delle sorelle.

2 **Guarda la famiglia di Alice e completa le frasi.**

Suo fratello si chiama _Teo_ e sua _sorella_ Lucilla.

1 _____ è suo nonno.

2 Alice è la _____ di Carlo.

3 Rosanna e Antonio sono i suoi _____.

4 Suo _____ si chiama Giovanni.

5 Clelia è sua _____.

6 Raffaella è sua _____.

3 **In coppia. Lo studente A fa le domande e lo studente B risponde; poi va a pagina 142 e segue le istruzioni.**

Chi è Lucilla?

Come si chiama suo nonno?

Chi è Adriana?

Come si chiama suo cugino?

Chi è Mirimì?

Come si chiama suo padre?

La casa

4 (2-16) Questa è la casa di Alice. Associa le parole ai disegni indicati con i numeri blu.
Dopo ascolta e controlla.

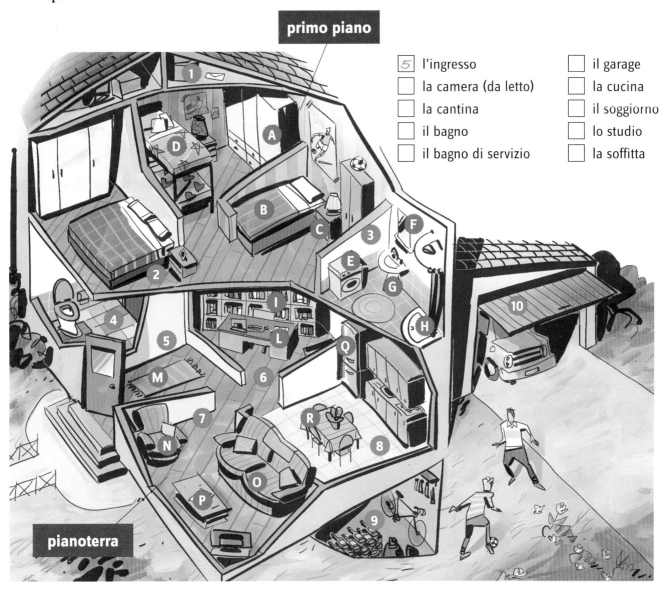

primo piano

5 l'ingresso	☐ il garage
☐ la camera (da letto)	☐ la cucina
☐ la cantina	☐ il soggiorno
☐ il bagno	☐ lo studio
☐ il bagno di servizio	☐ la soffitta

pianoterra

5 (2-17) Adesso associa le parole ai disegni indicati con le lettere rosse. Dopo ascolta e controlla.

R il tavolo	☐ il divano
☐ lo specchio	☐ la doccia
☐ la poltrona	☐ il frigorifero
☐ il tappeto	☐ il letto
☐ l'armadio	☐ la scrivania
☐ il lavandino	☐ la lavatrice
☐ la libreria	☐ il tavolino
☐ il comodino	☐ il letto a castello

6 Scrivi dove si trovano questi oggetti.

1 la lavatrice *in bagno*
2 il lavandino _____
3 la scrivania _____
4 il comodino _____
5 l'armadio _____
6 il frigorifero _____
7 lo specchio _____
8 la doccia _____
9 il divano _____

Chiedere e dire cosa si sta facendo

1 (2-18) Ascolta e ripeti.

> Cosa stai facendo?

> Sto bevendo un tè.

> Non sto facendo niente.

> Stai studiando matematica?

> Sì, certo!

> No, sto leggendo un libro.

2 In coppia. Osservate le immagini, domandate cosa stanno facendo e rispondete.

Nicola

Luigi e Paolo

Carla

Patrizia

Marina

Gli studenti

Gianluca

Marzia

3 Descrivi cosa sta facendo qualcuno in classe e chiedi a un compagno di indovinare di chi stai parlando.

> Sta guardando la lavagna, sta ascoltando il compagno, non sta scrivendo... Chi è?

> È Mario!

Chiedere e dire da dove si viene

4 (2-19) Ascolta e ripeti.

> Da dove viene Carlos?

> Viene dalla Spagna.

> Venite dal cinema?

> No, veniamo dal ristorante.

5 In coppia. Domandate e dite da dove vengono queste persone.

1. Barbara

2. Andrea

3. Erica e Fabio

4. Franco

5. Mauro

6. Adele e Roberto

Chiedere e dire dove sono le persone o gli oggetti

6 (2-20) **Ascolta e ripeti.**

A Dov'è il parco?
B È qui vicino.
B È dietro la scuola.

A Dov'è Macchia?
B È nella mia camera.
B È sotto il letto.

A Dove sono Laura e Biagio?
B Sono nel garage.
B Sono davanti al portone.

7 In coppia. Guardate l'immagine: domandate e dite dove sono gli oggetti.

COME SI PRONUNCIA?

1 (2-21) **Ascolta e ripeti.**

1 Papa – Pappa
2 Copia – Coppia

3 Sono – Sonno
4 Rene – Renne

5 Casa – Cassa
6 Micia – Miccia

Le consonanti doppie hanno un suono più lungo e marcato. È molto importante pronunciarle correttamente perché a volte, come in questi esercizi, cambiano il significato delle parole.

2 (2-22) **Ascolta e segna la parola pronunciata.**

1 Sete ☐   Sette ☑
2 Sete ☐   Sette ☐
3 Capelli ☐   Cappelli ☐
4 Capelli ☐   Cappelli ☐

5 Polo ☐   Pollo ☐
6 Polo ☐   Pollo ☐
7 Copia ☐   Coppia ☐
8 Copia ☐   Coppia ☐

3 (2-23) **Ascolta e scrivi le parole.**

1 _____	4 _____	7 _____	10 _____
2 _____	5 _____	8 _____	11 _____
3 _____	6 _____	9 _____	12 _____

Il presente progressivo

> Il presente progressivo indica un'azione in corso e si forma con il presente del verbo **stare + il gerundio del verbo**.
> Per fare il gerundio usiamo la desinenza -**ando** con i verbi in -**are** e la desinenza -**endo** con i verbi in -**ere** e in -**ire**.

Presente progressivo

		-are	-ere	-ire
io	**sto**	studi**ando**	scriv**endo**	fin**endo**
tu	**stai**	studi**ando**	scriv**endo**	fin**endo**
lui/lei	**sta**	studi**ando**	scriv**endo**	fin**endo**
noi	**stiamo**	studi**ando**	scriv**endo**	fin**endo**
voi	**state**	studi**ando**	scriv**endo**	fin**endo**
loro	**stanno**	studi**ando**	scriv**endo**	fin**endo**

Attenzione!

Il gerundio dei verbi 'fare' e 'bere' è irregolare:
fare → *facendo;* bere → *bevendo.*
Con i verbi riflessivi il pronome è prima del verbo 'stare': *Marco si sta svegliando.*

1 Completa le frasi con il presente progressivo.

Maria è in giardino, (giocare) <u>sta</u> <u>giocando</u> con il cane.

1 Tu sei in cantina, (prendere)
_____ la bicicletta.

2 Mia madre è nello studio, (spedire)
_____ delle email.

3 I miei nonni sono nel soggiorno, (guardare)
_____ la tv.

4 Mio fratello è in bagno, (lavarsi)
_____ le mani.

5 Voi siete nello studio, (leggere)
_____ una rivista.

6 Noi siamo in cucina, (fare)
_____ colazione.

7 Io sono in camera, (addormentarsi)
_____ .

8 Noi siamo in giardino, (rilassarsi)
_____ .

Venire

io vengo	loro vengono
tu vieni	noi veniamo
lui/lei viene	voi venite

> Con il verbo 'venire', per indicare il posto da cui si proviene si usa la preposizione **da** + **l'articolo** (vedi schema a p. 121).

Attenzione!

Con le città non si usa l'articolo.
Giorgio viene da Torino.

2 (2-24) Completa con il verbo 'venire' e la preposizione. Dopo ascolta e controlla.

Io <u>vengo</u> <u>dal</u> Brasile.

1 Adrian _____ _____ Polonia.

2 John e Mary _____ _____ Stati Uniti.

3 Giacomo _____ _____ Roma.

4 Voi _____ _____ Svizzera.

5 Tu _____ _____ Marocco.

6 Io _____ _____ Venezia.

7 Noi _____ _____ Italia.

8 Amina _____ _____ Yemen.

9 Pablo e Pilar _____ _____ Barcellona.

Venezia, piazza San Marco

Le preposizioni di luogo

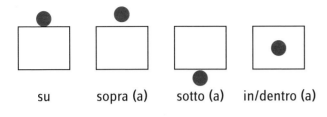

su   sopra (a)   sotto (a)   in/dentro (a)

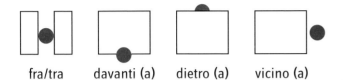

fra/tra   davanti (a)   dietro (a)   vicino (a)

> Le preposizioni di luogo (a eccezione di 'su', 'in' e 'fra/tra') sono seguite dalla preposizione **a** + articolo oppure solo dall'articolo.
>
> *Il gatto è dietro **la** poltrona.*
> *Il gatto è dietro **alla** poltrona.*
>
> **Su**, **in** e **fra/tra** sono **sempre** con l'articolo.
> Per le preposizioni 'su' + articolo e 'in' + articolo controlla lo schema a p. 121.

3 Dov'è Macchia? Guarda le immagini e completa le frasi.

1 Macchia è ___davanti la/alla___ scuola.
2 Macchia è _____ porta.
3 Macchia è _____ scrivania.
4 Macchia è _____ sedia.
5 Macchia è _____ zaino.
6 Macchia è _____ la porta e il cestino.

Possessivi senza articolo

Quando l'aggettivo possessivo precede un nome di famiglia singolare non si usa l'articolo, tranne per la terza persona plurale.

Singolare	Plurale
mia sorella	le mie sorelle
tuo fratello	i tuoi fratelli
sua cugina	le sue cugine
nostro nonno	i nostri nonni
vostra zia	le vostre zie
la loro madre	le loro madri

—*Buono a sapersi!*—

Con 'casa' e 'camera' (intesa come camera da letto) il possessivo può seguire il nome; in questo caso non si usa l'articolo.

*Torno a casa **mia**. Sandro è in camera **sua**.*

4 Completa il testo con gli articoli quando sono necessari.

_La_ mia famiglia è composta da cinque persone: _____ mia madre Giulia, _____ mio padre Antonio, _____ miei fratelli Alfredo e Caterina e io. C'è anche Tato, _____ nostro amato cane.
_____ nostra casa è grande e abbiamo anche un bel giardino. Spesso la domenica vengono da noi _____ miei zii con _____ mie cugine e _____ mio nonno Guglielmo: io sono molto contenta perché giochiamo e ci divertiamo.
La sera poi sono sempre stanca e vado presto in camera _____ mia a dormire!

Ascoltare

1  (2-25) Ascolta il dialogo e completa l'albero genealogico di Laura con i nomi.

1   2

3   4   5   6

7   8   9 *Laura*   10   11   12

Parlare

2 Guarda la foto e descrivi questa famiglia.

3 In coppia. Descrivi al compagno la tua famiglia.

Leggere

4 Leggi questi annunci e scegli la casa più adatta per queste persone. Poi abbina la casa al testo giusto.

La famiglia Giannini cerca una nuova casa da comprare. Sono sei persone: i genitori, tre bambini e la nonna. Hanno, inoltre, due grandi cani e due macchine. Non è importante la zona.

1 ☐

2 ☐

3 ☐

Casa A

Centro. Vendesi appartamento ammobiliato in palazzo antico. Ingresso, grande cucina abitabile, soggiorno, bagno, tre camere da letto, no balcone. Garage con due posti macchina. Riscaldamento autonomo. Spese condominiali minime.

Casa B

Vendesi in periferia piccola casa indipendente con giardino privato. Ingresso su grande salone, cucina, quattro camere da letto, tre bagni, garage doppio e grande cantina.

Casa C

Appartamento nuovo su due piani in zona semicentrale, vicino al parco Verde. Piccola cucina, salone, studio, grande terrazza, due bagni e tre camere da letto. Parzialmente arredato.

Scrivere

5 Scrivi un annuncio per vendere una casa.
Decidi le caratteristiche e disegna anche la piantina.

_____

_____

_____

_____

6 Descrivi la tua casa.

_____

_____

_____

Le case italiane

Gli italiani non abitano solo in appartamenti tradizionali di città. Questi sono esempi di case molto particolari che possiamo trovare in giro per l'Italia.

Il trullo

I trulli sono abitazioni di pietra molto caratteristiche che si trovano solo nella campagna della Puglia centro-meridionale. Il paese di Alberobello è al centro di questa zona: qui tutte le case hanno questa affascinante struttura. I trulli sono di origine antichissima e hanno la forma di un cilindro con un tipico tetto a cono. Molte di queste case di contadini sono in gran parte abitate ancora oggi; alcune sono eleganti bed & breakfast per vacanze in mezzo alla natura.

La casa di ringhiera

La casa di ringhiera è un palazzo degli inizi del Novecento, dove l'entrata dei vari appartamenti si trova su un balcone comune esterno, uno per ogni piano. La funzione di questa entrata condivisa è di creare una comunità unita di famiglie. In origine queste case hanno un solo bagno per piano, proprio sul balcone comune. Oggi molte case di ringhiera, dopo il restauro, sono appartamenti di lusso molto esclusivi, altre invece sono trascurate e abitate da famiglie povere. Si trovano soprattutto in Lombardia e in Piemonte.

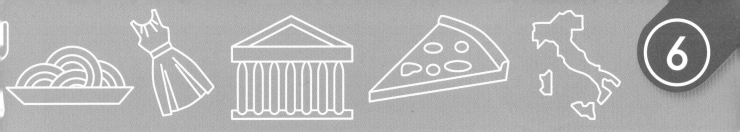

La cascina

La cascina originariamente è una grande fattoria costituita da diversi fabbricati disposti intorno a un cortile quadrato e al centro di un grande terreno agricolo. Al suo interno ci sono abitazioni, stalle, magazzini per il cibo, pozzi e, in quelle più grandi, anche la scuola e la chiesa: insomma, strutture totalmente autosufficienti per la piccola comunità di famiglie e lavoratori. Sono tipiche della Toscana, della Lombardia e, in misura minore, del Piemonte e dell'Emilia. Oggi alcune cascine sono ristrutturate e abitate, anche se non più da contadini e allevatori.

	Trullo	Casa di ringhiera	Cascina
1 Ha una forma cilindrica.			
2 Ha un bagno in comune.			
3 Si trova in Puglia.			
4 Ha il tetto a cono.			
5 A volte c'è anche la chiesa.			
6 Ha un cortile quadrato.			
7 È un palazzo con più appartamenti.			
8 Alcune sono in Emilia.			
9 Ci abitano anche famiglie povere.			

VIDEO

CLICCA E GUARDA

Scena iniziale del film di Mario Monicelli *Parenti serpenti*: Matteo presenta la sua famiglia e il paese dei nonni.

Trovi il video nel libro digitale.

1 Scrivi il contrario di questi aggettivi.

1 Alto _____.
2 Attento _____.
3 Grasso _____.
4 Antipatico _____.
5 Ordinato _____.
6 Chiacchierone _____.

Punti _____ 6

2 Completa le frasi con i verbi nel riquadro.

bere ▪ dimenticare ▪ fare ▪ fare ▪ finire ▪
giocare ▪ spedire ▪ venire

1 Gli studenti _____ i compiti a casa.
2 Scrivo e _____ un sms a Giorgio.
3 La lezione _____ all'una e mezza.
4 Domenica mattina io e Giorgio _____ a tennis.
5 Mario _____ sempre colazione alle sette e mezzo.
6 Tu sei molto distratto: _____ sempre qualcosa!
7 Da dove _____ quelle ragazze?
8 A colazione (io) _____ sempre un succo di arancia.

Punti _____ 8

3 Completa con il verbo 'andare' e le preposizioni.

1 I miei amici _____ _____ biblioteca.
2 Tutti i giorni (io) _____ _____ scuola in bici.
3 Voi a che ora _____ piscina?
4 Sonia, anche tu _____ _____ pizzeria con Sandro?
5 Mia madre _____ _____ farmacia.
6 Oggi noi _____ _____ cinema.

Punti _____ 12

4 Guarda le figure e completa le frasi.

Mirimì è:

1 _____ la poltrona.
2 _____ il cestino.

3 _____ alla pianta.
4 _____ il tappeto.

5 _____ la pianta e il cestino.
6 _____ la sedia.

Punti _____ 6

5 Completa le frasi con i verbi nel riquadro alla forma progressiva.

farsi ▪ giocare ▪ guardare ▪ preparare ▪
pulire ▪ studiare

1 Marcella è in cucina, _____ la torta.
2 Io sono in bagno, _____ la doccia.
3 Ugo è in camera sua, _____ per la verifica di domani.
4 Enrico è in giardino, _____ con il cane.
5 Tu sei in soggiorno, _____ un film in tv.
6 Il papà è in garage, _____ la macchina.

Punti _____ 6

6 Scrivi le domande.

1 _____ ?

Lo zaino è di Sergio.

2 _____ ?

Mia cugina viene dagli Stati Uniti.

3 _____ ?

Il libro è sulla scrivania.

4 _____ ?

L'appuntamento con Rodolfo è alle 17.00.

5 _____ ?

Sto preparando la cena.

6 _____ ?

Norbert e Armin sono di Norimberga.

Punti 12

7 Completa le frasi con i possessivi.

1 Marta studia molto. _____ voti sono generalmente alti e _____ verifiche sempre perfette. Passa tutto _____ tempo a studiare!

2 Noi frequentiamo la scuola media Tasso di Firenze. _____ classe è molto bella e _____ insegnanti sono molto bravi.

3 Mi chiamo Lidia e vivo con _____ famiglia. _____ padre si chiama Sandro e _____ madre Chiara. _____ due fratelli hanno quindici e tredici anni.

4 Io sono un ragazzo molto sportivo. _____ sport preferito è la pallavolo. La domenica di solito gioco con _____ amici e _____ amiche.

Punti 12

8 (2-26) Ascolta l'email e completala.

EMAIL

Ciao Paulina,

come stai? Qui a Torino tutto ok. Finalmente frequento la nuova scuola e sono molto contento perché _____ bene quando i miei compagni parlano in italiano.

Non conosco ancora tutti i professori ma _____ compagni di classe sono davvero super! La scuola è molto grande! Le lezioni cominciano alle _____ e _____ alle 14.00.

Nell'intervallo prendiamo le merendine e le bibite alle macchinette e andiamo a fare _____ in cortile: qui _____, mangiamo, chiacchieriamo e giochiamo a pallone. Quando _____ da scuola a volte pranzo con i compagni, più _____ però torno a casa. _____ alla scuola c'è un campo di calcetto: qualche volta mi fermo a _____ con alcuni compagni.

Bene, come vedi qui è tutto ok! E tu invece come stai? _____ a Torino?

Adesso vado a letto perché la mattina _____ sempre alle 7.00.

Scrivimi presto!

Adrian

Punti 12

9 Scrivi che ore sono.

1 `17.30` _____

2 `10.15` _____

3 `18.45` _____

4 `12.25` _____

5 `23.55` _____

6 `13.20` _____

Punti 6

Calcola il punteggio totale
e verifica con l'insegnante.

Punti .... / 80

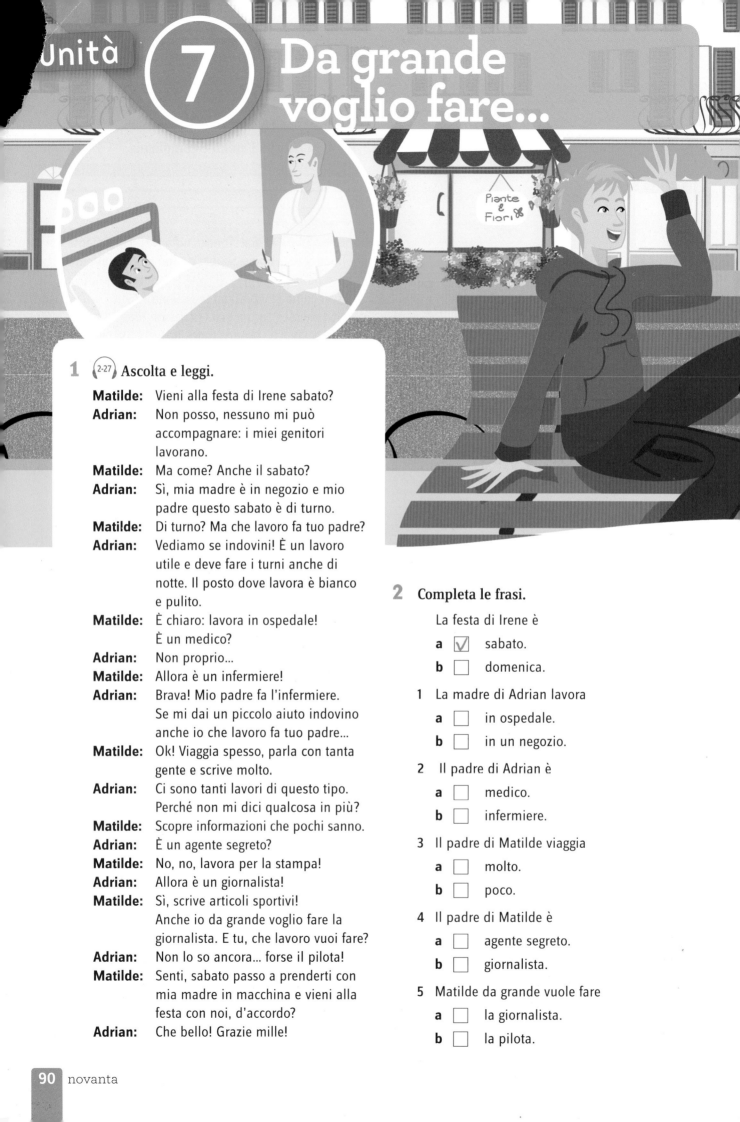

1 (2-27) **Ascolta e leggi.**

Matilde: Vieni alla festa di Irene sabato?

Adrian: Non posso, nessuno mi può accompagnare: i miei genitori lavorano.

Matilde: Ma come? Anche il sabato?

Adrian: Sì, mia madre è in negozio e mio padre questo sabato è di turno.

Matilde: Di turno? Ma che lavoro fa tuo padre?

Adrian: Vediamo se indovini! È un lavoro utile e deve fare i turni anche di notte. Il posto dove lavora è bianco e pulito.

Matilde: È chiaro: lavora in ospedale! È un medico?

Adrian: Non proprio...

Matilde: Allora è un infermiere!

Adrian: Brava! Mio padre fa l'infermiere. Se mi dai un piccolo aiuto indovino anche io che lavoro fa tuo padre...

Matilde: Ok! Viaggia spesso, parla con tanta gente e scrive molto.

Adrian: Ci sono tanti lavori di questo tipo. Perché non mi dici qualcosa in più?

Matilde: Scopre informazioni che pochi sanno.

Adrian: È un agente segreto?

Matilde: No, no, lavora per la stampa!

Adrian: Allora è un giornalista!

Matilde: Sì, scrive articoli sportivi! Anche io da grande voglio fare la giornalista. E tu, che lavoro vuoi fare?

Adrian: Non lo so ancora... forse il pilota!

Matilde: Senti, sabato passo a prenderti con mia madre in macchina e vieni alla festa con noi, d'accordo?

Adrian: Che bello! Grazie mille!

2 **Completa le frasi.**

La festa di Irene è
a ☑ sabato.
b ☐ domenica.

1 La madre di Adrian lavora
a ☐ in ospedale.
b ☐ in un negozio.

2 Il padre di Adrian è
a ☐ medico.
b ☐ infermiere.

3 Il padre di Matilde viaggia
a ☐ molto.
b ☐ poco.

4 Il padre di Matilde è
a ☐ agente segreto.
b ☐ giornalista.

5 Matilde da grande vuole fare
a ☐ la giornalista.
b ☐ la pilota.

In questa unità imparo:

- le professioni, le attività e i luoghi di lavoro;
- a domandare che lavoro si fa, a domandare e a dire cosa si fa nel lavoro, a chiedere e dire che lavoro si vuole fare;
- il presente indicativo dei verbi servili, dei verbi 'sapere', 'dire' e 'dare', dei verbi in -gliere, -gnere e -nere, i pronomi interrogativi.

3 Rileggi il dialogo e completa.

Sabato nessuno _può accompagnare_ Adrian alla festa.

1 La madre di Adrian lavora in _____.

2 Il padre di Adrian lavora in un posto _____. A volte deve fare _____ _____.

3 Il padre di Matilde _____ con tanta gente.

4 Matilde da grande vuole fare _____ _____.

5 Sabato pomeriggio Matilde e sua madre _____ Adrian.

4 Abbina gli oggetti alle persone.

1 Il padre di Adrian. ☐ ☐
2 La madre di Adrian. ☐ ☐
3 Il padre di Matilde. ☐ ☐

a negozio   **b** termometro   **c** ospedale

d redazione   **e** microfono   **f** cassa

ADESSO TOCCA A TE!

5 Trova in classe i compagni che hanno la madre o il padre che lavorano:

- il sabato o la domenica;
- di notte.

6 In gruppo. Ogni alunno dice una frase per descrivere il lavoro del professore.

Le professioni

1 (2-28) Guarda le immagini, ascolta e ripeti.

1 Il chirurgo

2 Il vigile urbano

3 La cameriera

4 Il meccanico

5 Il parrucchiere

6 La pittrice

7 Il postino

8 La farmacista

9 Il veterinario

10 Il barista

11 Il poliziotto

12 Il pompiere

Attenzione!

I nomi che terminano in **-ista** possono essere maschili o femminili: *il barista*, *la barista*.

Le attività nel lavoro

2 (2-29) Completa le frasi con i verbi del riquadro. Dopo ascolta e controlla.

> arresta ▪ consegna ▪ cura ▪ dipinge ▪ fa ▪ ~~opera~~ ▪ prepara ▪ ripara ▪ serve ▪ spegne ▪ taglia ▪ vende

Il chirurgo _opera_ i pazienti.

1 Il vigile urbano _____ le multe.
2 La cameriera _____ i clienti.
3 Il meccanico _____ le auto.
4 Il parrucchiere _____ i capelli.
5 La pittrice _____ i quadri.
6 Il postino _____ le lettere.
7 La farmacista _____ le medicine.
8 Il barista _____ i caffè.
9 Il poliziotto _____ i criminali.
10 Il pompiere _____ gli incendi.
11 Il veterinario _____ gli animali.

3 **Risolvi il cruciverba.**

1 Taglia e pettina i capelli.
2 Cura gli animali.
3 Fa i caffè e i cappuccini.
4 Arresta i criminali.
5 Vende le medicine.
6 Porta i piatti ai tavoli.
7 Consegna le lettere.
8 Spegne gli incendi.
9 Progetta le case.
10 Ripara le auto.

4 **Abbina ogni lavoro alla descrizione giusta.**

 1 La musicista

 2 La commessa

 3 L'attore

 4 Il fornaio

 5 L'architetto

 6 L'avvocato

3 **a** recita opere teatrali.

☐ **b** difende i clienti.

☐ **c** disegna gli appartamenti.

☐ **d** vende prodotti.

☐ **e** fa il pane.

☐ **f** suona uno strumento musicale.

I luoghi di lavoro

5 (2-30) **Ascolta le frasi e abbina le professioni ai luoghi di lavoro.**

1	Il chirurgo	scuola
2	La cameriera	ambulatorio
3	L'operaio	negozio
4	Il veterinario	redazione
5	Il meccanico	ospedale
6	Il giornalista	ristorante
7	Il professore	ufficio
8	La commessa	fabbrica
9	L'impiegato	officina
10	L'attrice	teatro

L'attrice italiana Monica Bellucci

Domandare che lavoro si fa

1 (2-31) Ascolta e ripeti.

> Che lavoro fa tua madre?

> Fa la veterinaria.

> È veterinaria.

> Tuo padre è insegnante?

> No, è musicista.

> Tuo padre fa l'insegnante?

> No, fa il musicista.

2 In coppia. Chiedi al compagno che lavoro fanno queste persone.

> scrittore ▪ disegnatore ▪ professore ▪ ballerino ▪ musicista ▪ informatico

Augusto

Leonardo

Raffaele

Giampaolo

Mirco

Riccardo

3 Fa' un sondaggio in classe. Domanda ai tuoi compagni che lavoro fanno i loro genitori.

Domandare e dire cosa si fa nel lavoro

4 (2-32) Metti in ordine le frasi del dialogo. Dopo ascolta, controlla e rileggi il dialogo con il compagno.

☐	**Flavio:**	Costruisco macchine.
☐	**Bianca:**	Vendo biglietti aerei e viaggi organizzati. E tu invece che lavoro fai?
☐	**Flavio:**	Cosa fai nel tuo lavoro?
☐	**Bianca:**	Faccio l'impiegata.
☐	**Flavio:**	Io sono operaio.
☐	**Bianca:**	In un'agenzia di viaggi.
1	**Flavio:**	Bianca, che lavoro fai?
☐	**Bianca:**	E cosa fai nel tuo lavoro?
☐	**Flavio:**	Impiegata? E dove lavori?

5 In coppia. A turno domandate cosa fanno queste persone nel loro lavoro.

> Cosa fa il chirurgo nel suo lavoro?

> Opera i pazienti.

1	Il veterinario	7	Il poliziotto
2	Il vigile urbano	8	Il barista
3	La cameriera	9	Il musicista
4	Il meccanico	10	Il commesso
5	Il postino	11	L'architetto
6	La farmacista	12	L'avvocato

Chiedere e dire che lavoro si vuole fare

6 (2-33) Ascolta e ripeti.

> Cosa vuoi fare da grande?

> Voglio fare l'ingegnere.

> Che lavoro vuoi fare?

> Voglio diventare stilista.

ADESSO TOCCA A TE!

7 In coppia. Guarda questi ragazzi e immagina che lavoro vogliono fare.

8 A turno, descrivete un lavoro e i compagni indovinano.

> Lavora a scuola, dà informazioni ma non insegna: chi è?

> La segretaria!

COME SI PRONUNCIA?

La lettera 's' e la lettera 'z'

1 (2-34) Ascolta e ripeti.

1	sveglia	4	corsa	7	rosso
2	testo	5	sala	8	sole
3	scuola	6	passato	9	sbaglio

La 's' si pronuncia **sonora**:
- quando è seguita da 'b', 'd', 'g', 'l', 'm', 'n', 'v': *sbaglio*.

La 's' si pronuncia **sorda**:
- quando è seguita da 'c', 'f', 'p', 'q', 't': *strada*;
- quando è preceduta da una consonante: *borsa*;
- a inizio di parola seguita da vocale: *signore*;
- quando è doppia: *grasso*.

2 (2-35) Leggi le parole, poi ascolta e verifica la pronuncia corretta.

1	masso	4	spalla	7	ansia
2	sera	5	cestino	8	soggetto
3	falso	6	gesso	9	ciclismo

3 (2-36) Ascolta e ripeti.

1	azoto	4	pranzare	7	arzillo
2	pezzo	5	calze	8	marziano
3	azione	6	spazio	9	azzurro

La 'z' si pronuncia **sonora**:
- quando è tra due vocali: *ozono*.

La 'z' si pronuncia **sorda**:
- davanti ai gruppi vocalici -ia, -io e -ie: *grazie*;
- dopo la 'l' e la 'n': *alzare, speranza*;
- quando è doppia: *pizza*.

4 (2-37) Leggi le parole, poi ascolta e verifica la pronuncia corretta.

1	prezzo	4	razza	7	pigrizia
2	nazione	5	azalea	8	stanza
3	sforzo	6	spezzare	9	calzolaio

Il presente indicativo dei verbi servili: dovere, potere e volere

	Dovere	Potere	Volere
io	devo	posso	voglio
tu	devi	puoi	vuoi
lui/lei	deve	può	vuole
noi	dobbiamo	possiamo	vogliamo
voi	dovete	potete	volete
loro	devono	possono	vogliono

> I verbi **dovere**, **potere** e **volere** sono irregolari; possono essere seguiti da un verbo all'infinito.

1 Completa le frasi con i verbi nel riquadro.

posso ▪ devi ▪ *può* ▪ devono ▪ deve ▪ vogliamo ▪ vogliono

Il barista non <u>può</u> fare il caffè, non c'è l'elettricità.

1 Noi siamo stanchi, _____ dormire.

2 Gli attori _____ vincere il premio Oscar.

3 Il panettiere _____ lavorare anche di notte.

4 I commessi _____ lavorare sempre in piedi.

5 Tu sei uno studente, _____ fare tanti esercizi di italiano.

6 Io faccio l'architetto, _____ disegnare la casa dei tuoi sogni.

Presente indicativo dei verbi sapere, dire e dare

	Sapere	Dire	Dare
io	so	dico	do
tu	sai	dici	dai
lui/lei	sa	dice	dà
noi	sappiamo	diciamo	diamo
voi	sapete	dite	date
loro	sanno	dicono	danno

> Il presente indicativo dei verbi **sapere**, **dire** e **dare** è irregolare. Il verbo 'sapere' può essere seguito da un verbo all'infinito e indica capacità o abilità.

2 Abbina le due parti delle frasi.

1 [c] Giada
2 [ ] Voi bambini
3 [ ] Alice e Matilde
4 [ ] Noi studenti
5 [ ] Tu
6 [ ] Io
7 [ ] Il professore
8 [ ] Mia sorella e io

a do il latte al gatto.
b sanno andare sullo skateboard.
c sa a memoria tutti i numeri dei suoi amici.
d diamo il regalo a nostra madre.
e dice cose molto interessanti.
f sappiamo due lingue straniere.
g dai il libro a Eva.
h non dite mai le bugie.

Presente indicativo dei verbi in -gnere, -gliere e -nere

	Spegnere	Scegliere	Tenere
io	spengo	scelgo	tengo
tu	spegni	scegli	tieni
lui/lei	spegne	sceglie	tiene
noi	spegniamo	scegliamo	teniamo
voi	spegnete	scegliete	tenete
loro	spengono	scelgono	tengono

Alla 1ª persona singolare e alla 3ª persona plurale del presente indicativo i verbi in **-gnere** e **-gliere** invertono le consonanti 'gn'→'ng', 'gl'→'lg', mentre i verbi in **-nere** aggiungono una 'g'.

3 **Completa le frasi con i verbi.**

Matilde e Silvia (*scegliere*) scelgono il regalo per Alice.

1 I contadini (*raccogliere*) _____ l'insalata.

2 Vado a letto e (*spegnere*) _____ la luce.

3 Se non chiudi il frigorifero, i gelati (*sciogliersi*) _____ .

4 Questi astucci (*contenere*) _____ tante penne.

5 I giapponesi, quando entrano in casa, (*togliersi*) _____ le scarpe.

6 Oggi ho l'influenza, (*rimanere*) _____ a letto.

7 In classe gli studenti (*spegnere*) _____ i cellulari.

8 (*io, ottenere*) _____ buoni risultati nelle gare di snowboard.

I pronomi e gli aggettivi interrogativi

	Maschile	Femminile
Singolare	che	che
	chi	chi
	quale	quale
	quanto	quanta
Plurale	che	che
	chi	chi
	quali	quali
	quanti	quante

Attenzione!

Quale davanti alla 3ª persona singolare del verbo 'essere' diventa **qual**.
Qual è il tuo sport preferito?

Che può essere seguito da **cosa**.
Che guardi? Che cosa guardi?

Chi serve per fare una domanda sull'identità delle persone e degli animali.
Chi dorme sul divano? Il mio gatto.

4 **Completa con gli aggettivi e con i pronomi interrogativi.**

A Che ore sono?
B Sono le 5.00.

1 A _____ è il tuo zaino?
B Quello blu e giallo.

2 A _____ lavoro fa sua madre?
B Fa la biologa.

3 A _____ lavora in fabbrica?
B L'operaio.

4 A _____ libri ci sono sul tavolo?
B Cinque.

5 A _____ sta facendo il pompiere?
B Sta spegnendo il fuoco.

6 A _____ è alta Sofia?
B È alta un metro e venti.

7 A Con _____ giochi oggi?
B Gioco con Dario.

8 A _____ vuoi fare da grande?
B L'astronauta.

Leggere

1 Leggi i testi e scrivi i nomi sotto le foto.

Sono Daniela e faccio la *disc jockey*. Lavoro di sera in una radio e in varie discoteche di Milano. Amo molto il mio lavoro perché posso ascoltare tutta la musica che voglio, incontro tante persone nuove e naturalmente ballo!

Per fare il *dj* devi amare tutta la musica e conoscere i gruppi, i cantanti e le mode musicali del momento.
Suono anche il clarinetto in un gruppo *jazz*. La musica è proprio la mia passione!

Mi chiamo Michele e sono un pilota di Formula 1. Il mio lavoro è emozionante ma anche un po' pericoloso.
Non ho un orario fisso però generalmente lavoro di giorno.

Diventare un bravo pilota non è facile, devi avere molto coraggio, concentrazione e amare la velocità. Devi anche studiare meccanica e fare pratica con diversi tipi di automobili. Fare il pilota è la mia vita!

Mi chiamo Luca e sono un elettricista. È un mestiere interessante ma faticoso perché vado a casa delle persone e riparo tutti i loro elettrodomestici.
Lavoro nove ore al giorno, dalle 8 di mattina alle 6 di sera, con una pausa per il pranzo dalle 12:30 alle 13:30.
Un elettricista deve avere la passione per l'elettronica e per i lavori manuali. Deve essere preciso e deve sempre essere gentile con i clienti. Amo molto il mio lavoro!

2 Rispondi.

	DISC JOCKEY	PILOTA	ELETTRICISTA
1 Chi lavora di giorno?	☐	☐	☐
2 Chi lavora di sera?	☐	☐	☐
3 Chi conosce molte persone?	☐	☐	☐
4 Chi guida le macchine?	☐	☐	☐
5 Chi fa una pausa di un'ora per il pranzo?	☐	☐	☐
6 Chi suona uno strumento musicale?	☐	☐	☐

Parlare

3 In coppia. Spiega al tuo compagno quale lavoro vuoi fare e quale lavoro non vuoi fare e perché.

Ascoltare

4 (2-38) Ascolta il dialogo e metti in ordine cronologico le azioni della giornata di Claudia.

Scrivere

5 Guarda i modelli e scrivi il tuo annuncio per cercare un lavoro part-time.

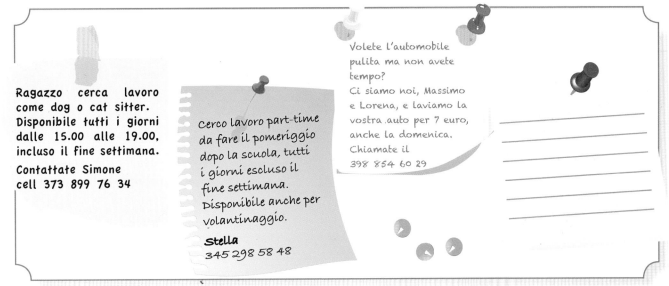

Prodotti italiani

Alcuni prodotti sono ormai un simbolo dell'Italia e della sua cultura. Ecco i più conosciuti.

La Nutella®

È la crema al cioccolato spalmabile più famosa del mondo. È da sempre prodotta ad Alba, in Piemonte. Il suo nome è formato dalla parola inglese *nut* (nocciola) e 'ella', un suffisso per creare parole simpatiche e graziose. Dal 1964, anno della sua nascita, la Nutella accompagna la colazione, la merenda e i fuori pasto di bambini e adulti in tutto il mondo!

La Vespa

È un affascinante scooter senza età che da quasi settanta anni è simbolo di gioventù e libertà. Il prototipo nasce negli stabilimenti Piaggio di Biella, in Piemonte, nel 1946. Il suo simpatico nome deriva dal rumore del motore simile, appunto, al ronzio di una vespa. È un mezzo di trasporto a basso costo e ancora oggi, nella sua categoria, è il più venduto nel mondo.

La moka

È la macchinetta per preparare in casa il caffè espresso, chiamata anche 'caffettiera'. Il nome viene dalla città di Mokha, nello Yemen, famosa per la qualità del suo caffè. Nasce nel 1933 negli stabilimenti Bialetti a Crusinallo, vicino Verbania, in Piemonte, e da allora la sua forma rimane immutata. Esiste in diverse dimensioni per fare da una fino a diciotto tazzine di caffè.

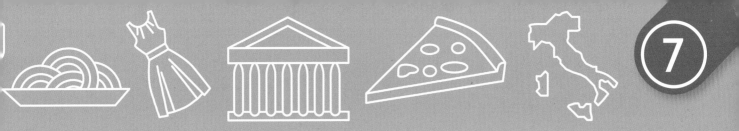

Il parmigiano reggiano

È il delizioso formaggio prodotto in Emilia Romagna nella zona fra Parma e Reggio Emilia, le due città a cui deve il suo nome.
Si trova sulla nostra tavola da secoli: nasce infatti nel Medioevo, forse anche prima, e oggi è sicuramente il formaggio più conosciuto al mondo. Per produrre una forma di parmigiano reggiano sono necessari circa 550 litri di latte.

La Ferrari

È la casa automobilistica che produce auto sportive di lusso e da gara. Nasce nel 1939 a Maranello, vicino Modena, dove l'ingegnere Enzo Ferrari ha una fabbrica di componenti di auto. Possedere una Ferrari, magari rossa, è il sogno degli appassionati di auto o degli sportivi di tutto il mondo.

	Tipo di prodotto	Anno o periodo di nascita	Luogo di produzione	Origine del nome
1 Nutella				
2 Vespa				
3 Moka				
4 Parmigiano reggiano				
5 Ferrari				

VIDEO

CLICCA E GUARDA

Una vecchia pubblicità della Nutella: un filmato in bianco e nero pieno di allegria e... dolcezza.

Trovi il video nel libro digitale.

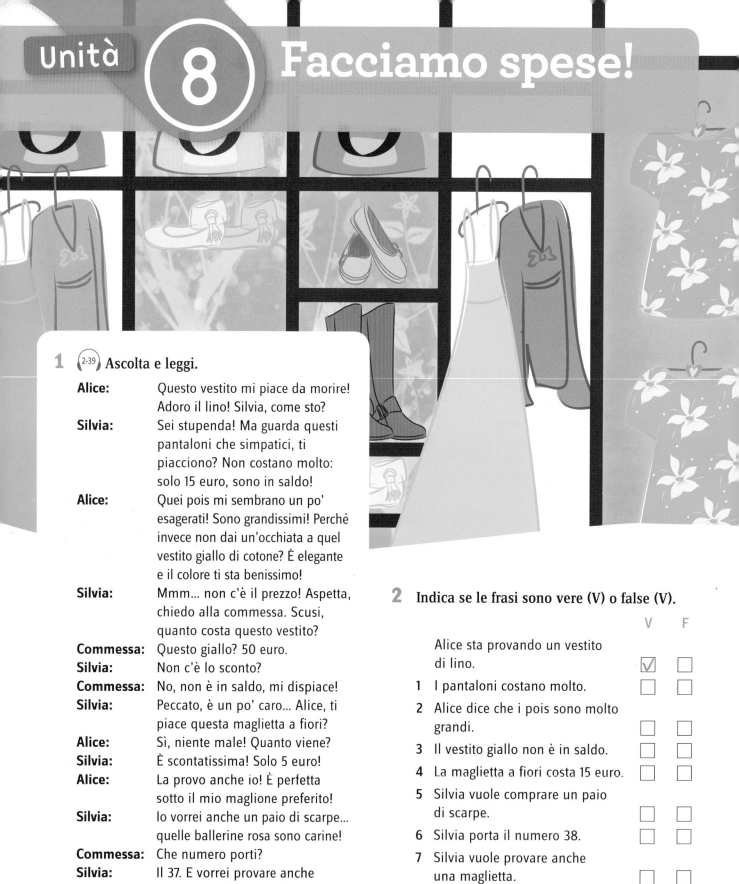

1 (2-39) Ascolta e leggi.

Alice: Questo vestito mi piace da morire! Adoro il lino! Silvia, come sto?

Silvia: Sei stupenda! Ma guarda questi pantaloni che simpatici, ti piacciono? Non costano molto: solo 15 euro, sono in saldo!

Alice: Quei pois mi sembrano un po' esagerati! Sono grandissimi! Perché invece non dai un'occhiata a quel vestito giallo di cotone? È elegante e il colore ti sta benissimo!

Silvia: Mmm... non c'è il prezzo! Aspetta, chiedo alla commessa. Scusi, quanto costa questo vestito?

Commessa: Questo giallo? 50 euro.

Silvia: Non c'è lo sconto?

Commessa: No, non è in saldo, mi dispiace!

Silvia: Peccato, è un po' caro... Alice, ti piace questa maglietta a fiori?

Alice: Sì, niente male! Quanto viene?

Silvia: È scontatissima! Solo 5 euro!

Alice: La provo anche io! È perfetta sotto il mio maglione preferito!

Silvia: Io vorrei anche un paio di scarpe... quelle ballerine rosa sono carine!

Commessa: Che numero porti?

Silvia: Il 37. E vorrei provare anche questa maglietta, ma è troppo piccola: mi potrebbe dare una taglia più grande?

Commessa: Certo! Che taglia porti?

Silvia: La 42.

Commessa: Ecco qui. Puoi provare tutto nel camerino.

Silvia: Avete anche una gonna a tinta unita da abbinare alla maglietta?

2 Indica se le frasi sono vere (V) o false (V).

	V	F
Alice sta provando un vestito di lino.	☑	☐
1 I pantaloni costano molto.	☐	☐
2 Alice dice che i pois sono molto grandi.	☐	☐
3 Il vestito giallo non è in saldo.	☐	☐
4 La maglietta a fiori costa 15 euro.	☐	☐
5 Silvia vuole comprare un paio di scarpe.	☐	☐
6 Silvia porta il numero 38.	☐	☐
7 Silvia vuole provare anche una maglietta.	☐	☐
8 Silvia cerca anche una borsa.	☐	☐

Buono a sapersi!

L'espressione 'dare un'occhiata' significa 'guardare velocemente'. L'espressione 'piacere da morire' significa 'piacere molto'.

In questa unità imparo:

- i nomi dei capi di abbigliamento, delle fantasie e dei tessuti;
- a chiedere e dire quanto costa un oggetto e se c'è lo sconto; a chiedere e dire la taglia e il numero di scarpe, a chiedere e dire se una cosa piace;
- il presente indicativo del verbo 'piacere'; il condizionale presente per le richieste gentili;
- il superlativo assoluto.

8

3 Scrivi tutti i vestiti e gli accessori nominati nel dialogo.

vestito, _____

_____

_____

4 Guarda il disegno e completa le frasi con il colore giusto.

Il berretto è _bianco_ _____.

1 La maglietta è _____.

2 La gonna è _____.

3 I pantaloni sono _____.

4 Le scarpe sono _____.

5 Il maglione è _____.

5 Rileggi il dialogo e completa le frasi.

Alice adora _il lino_ _____.

1 Il vestito giallo di cotone è _____.

2 Silvia dice che i pantaloni sono _____.

3 La maglietta a fiori è _____.

4 Le ballerine rosa sono _____.

5 Silvia può provare tutto _____.

6 Silvia vuole abbinare alla maglietta _____

_____.

ADESSO TOCCA A TE!

6 In gruppo. Descrivete, a turno, i vestiti di un compagno di classe e indovinate chi è.

I vestiti e gli accessori

1 (2-40) Scrivi sotto ogni foto il nome dei vestiti e degli accessori che conosci. Dopo ascolta, completa e controlla.

1 _maglietta_   2 _____   3 _____   4 _____   5 _____

6 _____   7 _____   8 _____   9 _____   10 _____

11 _____   12 _____   13 _____   14 _____   15 _____

16 _____   17 _____   18 _____   19 _____   20 _____

I motivi dei tessuti

2 (2-41) Scrivi sotto ogni motivo l'espressione per descriverlo. Dopo ascolta e controlla.

> a righe ▪ a pois ▪ a tinta unita ▪ a fiori
> ▪ a quadri ▪ a fantasia

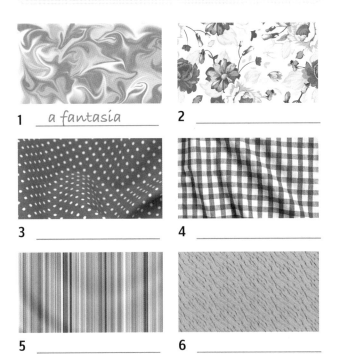

1 *a fantasia*

2 _____

3 _____

4 _____

5 _____

6 _____

3 (2-42) Ascolta e disegna i motivi di questi capi di abbigliamento.

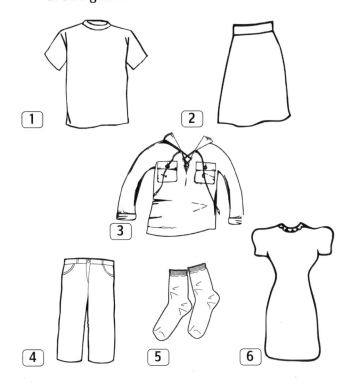

Attenzione! !

La parola 'paio' ha il plurale al femminile: 'paia'.

*Un **paio** di scarpe. Due **paia** di scarpe.*

I materiali dei tessuti

4 Scrivi sotto a ogni foto tre capi di abbigliamento che possono essere fatti di quel materiale.

1 Lana

_____

_____

_____

2 Cotone

_____

_____

_____

3 Velluto

_____

_____

_____

4 Seta

_____

_____

_____

—*Buono a sapersi!*—

Il velluto è un tessuto morbido e pesante. Serve per i vestiti invernali. Il modo di dire 'andare sul velluto' significa 'ottenere un buon risultato senza problemi'.

Chiedere e dire il prezzo

1 (2-43) **Ascolta e ripeti.**

A Quanto costa questa maglietta?

B Costa 12 euro.

A Vorrei sapere il prezzo di questa maglietta.

B 12 euro.

A Mi potrebbe dire quanto vengono queste scarpe?

B Vengono 25 euro.

A Quanto costano?

B 25 euro.

B Costano 25 euro.

2 **Scrivi i dialoghi usando le frasi dell'esercizio 1.**

A _____
_____ .
B _____
_____ .

A _____
_____ .
B _____
_____ .

A _____
_____ .
B _____
_____ .

A _____
_____ .
B _____
_____ .

3 **In coppia. Lo studente A domanda allo studente B i prezzi mancanti e li scrive. Lo studente B va a pagina 142 e segue le istruzioni.**

1 € 35,00   2 €

3 €   4 € 10,00

Chiedere e dire se c'è lo sconto

4 (2-44) **Ascolta e ripeti.**

A C'è lo sconto su questo berretto?

B Sì, c'è lo sconto del 20%.

A Scusi, vorrei sapere se questa borsa è scontata.

B Sì, è scontata.

B No, è a prezzo intero.

A Questa borsa è in saldo?

B No, mi dispiace!

B Sì, è in saldo.

5 **Guarda le foto e scrivi le risposte sul quaderno.**

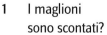

1 I maglioni sono scontati?

2 Questo cappotto è in saldo?

Chiedere e dire la taglia e il numero di scarpe

6 (2-45) **Ascolta e ripeti.**

A	Che taglia porti?	B	Porto la 42.
A	Che taglia ha, Signora?	B	Ho la 42.
A	Qual è la tua taglia?	B	La 42.
A	Che numero porti di scarpe?	B	Porto il 37.
A	Che numero hai di scarpe?	B	Ho il 37.

7 **Completa il dialogo. Dopo recitalo con un compagno.**

A   Buongiorno, posso aiutarti?

B   Sì grazie, vorrei provare quelle scarpe nere.

A   _____?

B   Il 38. Posso provare anche questa maglietta?

A   _____?

B   La 44. Scusi, _____?

A   35 euro.

B   _____?

A   No, mi dispiace, queste magliette non sono in saldo.

B   _____! Allora provo questa camicia.

8 **Alice vuole comprare un vestito e Rafael delle scarpe. In coppia con un compagno immagina i dialoghi.**

Chiedere se una cosa piace e rispondere

9 (2-46) **Ascolta e ripeti.**

A   Ti piace questa borsa?

B   Sì, moltissimo!

A   Ti piace fare spese?

B   Sì, mi piace da morire!

A   Ti piacciono questi occhiali?

B   Non molto.

10 **Scrivi una lista di cose e di azioni e chiedi al compagno se a lui piacciono.**

COME SI PRONUNCIA?

1 (2-47) **Ascolta e ripeti.**

maglione	somigliare
bagno	disegno
sveglia	meraviglioso
montagna	spagnolo

2 (2-48) **Ascolta le parole e segna quando senti il suono 'gl' e 'gn'.**

Gl   **1 2 3 4 5 6 7 8**

Gn   **1 2 3 4 5 6 7 8**

3 (2-49) **Leggi le parole. Dopo ascolta e controlla.**

foglio	bigné
compagno	cognome
voglio	ignorante
lasagne	caviglia
luglio	taglia

Attenzione!

Il gruppo di lettere 'glic' ha sempre una pronuncia dura: *glicine*, *glicerina*.

Il verbo piacere

mi	**piace**	mi	**piacciono**
ti		ti	

Il verbo 'piacere' non si accorda con la persona che esprime i suoi gusti ma con il nome o l'azione su cui si dà il parere. Si usano quindi solo le due forme delle terze persone, quella singolare, **piace**, e quella plurale, **piacciono**.

*Maria, **ti piace** questa borsa?*
*Sì, **mi piace** molto.*

*Maria, **ti piacciono** questi stivali?*
*No, non **mi piacciono** per niente.*

'Piacere' va alla 3ª persona singolare quando è seguito da un verbo.

*Magda, **ti piace** ballare?*
*No, ballare non **mi piace** per niente.*

1 Completa i dialoghi con il verbo 'piacere'.

Emma, ti ___piace___ questa maglietta a fiori?
Sì, mi _____ .

1 Ivana, ti _____ giocare a pallavolo?
Sì, mi _____ abbastanza.

2 Mauro, ti _____ i miei pantaloni?
Sì, mi _____ moltissimo!

3 Luca, ti _____ questa sciarpa?
No, non mi _____ per niente.

4 Mamma, ti _____ quelle scarpe?
Sì, mi _____ tantissimo!

5 Alice, ti _____ fare shopping?
Sì, certo, mi _____ da morire!

2 Scrivi le cose che ti piacciono e le cose che non ti piacciono.

Mi piace	pizza
Non mi piace	
Mi piacciono	
Non mi piacciono	

Il condizionale presente di potere e volere

	Potere	Volere
io	potrei	vorrei
tu	potresti	vorresti
lui/lei/Lei	potrebbe	vorrebbe
noi	potremmo	vorremmo
voi	potreste	vorreste
loro	potrebbero	vorrebbero

Il condizionale si usa per chiedere qualcosa in modo molto gentile.

3 Completa le frasi con i verbi al condizionale.

Buongiorno, (io, volere) ___vorrei___ provare questi pantaloni.

1 Scusi, (Lei, potere) _____ darmi una taglia più grande?

2 Alice, per favore, (tu, potere) _____ venire con me in camerino?

3 Buongiorno, (noi, volere) _____ una borsa in saldo.

4 Scusi, (noi, potere) _____ provare questi stivali?

5 (Io, volere) _____ provare quel vestito a fiori, per favore.

4 Guarda le figure e immagina cosa possono chiedere Alice e Matilde.

Il superlativo assoluto

Si forma con il suffisso **-issimo** dopo un aggettivo e significa 'molto', 'al massimo grado'.
bell**o** → bell**issimo**   pigr**i** → pigr**issimi**
brav**a** → brav**issima**   vecchi**e** → vecch**issime**

5 Completa le frasi con gli aggettivi al superlativo assoluto. Attenzione agli accordi!

alto ▪ bello ▪ caro ▪ gentile ▪ grande ▪ intelligente ▪ simpatico

Le modelle sono sempre _bellissime_.

1 Alberto risolve tutti i problemi di matematica, è _____.

2 Questi pantaloni sono _____! Costano 350 euro!

3 Giordana è _____, con lei ridiamo sempre!

4 Nella mia casa ci sono dieci camere, è _____.

5 Filippo e Bruno giocano a pallacanestro, sono _____.

6 Grazie per le informazioni signorina, Lei è davvero _____.

6 Abbina alle immagini gli aggettivi nel riquadro scrivendoli al superlativo assoluto. Attenzione agli accordi!

goloso ▪ piccolo ▪ corto ▪ scontato ▪ caro ▪ lungo

1 _____

2 _____

3 _____

4 _____

5 _____

6 _____

Ascoltare

1 (2-50) Associa i dialoghi alle immagini.

2 (2-50) Riascolta i dialoghi e controlla se le affermazioni sono vere (V) o false (F).

	V	F
La cintura c'è anche nera.	☐	☑
1 La borsa è scontata.	☐	☐
2 Un signore dice che la giacca è un po' grande.	☐	☐
3 Una signora vuole provare un maglione.	☐	☐
4 Un ragazzo dice la sua taglia.	☐	☐

Parlare

3 Guarda la foto e descrivi l'abbigliamento di questi ragazzi.

Leggere

4 Guarda le pagine dei due negozi online e rispondi alle domande.

1 Amanda deve andare a una festa e vorrebbe comprare qualcosa di elegante ma non caro. In quale catalogo può trovare quello che cerca?

2 Fabiano vorrebbe ricevere in regalo per il suo compleanno qualcosa di molto allegro e colorato. In quale catalogo può trovare quello che cerca?

3 Pamela parte per un campo estivo e vorrebbe qualcosa di molto sportivo e comodo. In quale catalogo può trovare quello che cerca?

Scrivere

5 Scrivi cosa ti piace e cosa non ti piace degli articoli proposti dai due negozi online dell'esercizio 4.

La moda

La moda italiana è forse la più famosa del mondo ed è un simbolo della cultura e della creatività di questo Paese

Roma e Milano sono le città dove hanno sede gli atelier dei grandi stilisti, dove ogni anno si svolgono le settimane della moda e dove si possono trovare le boutique più esclusive. Gli stilisti famosi, come Versace, Valentino, Armani, Cavalli, Gucci, creano lussuosi abiti da sogno che tutti vorrebbero indossare.

Ci sono poi anche stilisti o grandi case che creano abiti giovanili e disinvolti, come Moschino, Diesel, Dolce e Gabbana, Benetton, che accontentano un pubblico più informale e sportivo ma sempre attento alla modernità e al buon gusto.

Ma moda non significa solo vestiti: infatti non dobbiamo dimenticare tutte le linee di accessori, scarpe, borse, gioielli, occhiali e tanto altro, che accompagnano ogni anno le nuove collezioni. Alcune creazioni sono ormai un oggetto di culto, come le borse e le scarpe di Prada o gli occhiali di Gucci. Molti stilisti firmano anche profumi o linee di cosmetici: un'offerta completa per soddisfare ogni esigenza.

La moda italiana non è importante solo per la sua raffinatezza e originalità: è infatti un significativo settore dell'economia che dà lavoro a moltissime persone.

Una borsa Prada e un paio di occhiali Gucci.

Un vestito di Giorgio Armani e la vetrina di uno dei suoi negozi internazionali.

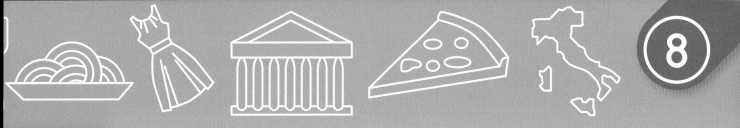

1 Completa le frasi.

1 La moda italiana
   - a ☐ è famosa nel mondo.
   - b ☐ è un simbolo della creatività di Roma.

2 I più grandi stilisti hanno la sede
   - a ☐ a Roma e a Milano.
   - b ☐ in tutto il Paese.

3 Versace, Valentino, Armani e Gucci
   - a ☐ creano abiti giovanili.
   - b ☐ creano abiti lussuosi.

4 Gli accessori
   - a ☐ sono una parte importante della moda.
   - b ☐ sono creati per i giovani.

5 Molti stilisti firmano
   - a ☐ linee di cosmetici.
   - b ☐ un settore dell'economia.

6 Nella moda
   - a ☐ lavorano poche persone.
   - b ☐ lavorano molte persone.

12 febbraio 1951

È la data di nascita ufficiale della moda italiana, con la prima sfilata internazionale a Firenze.

VIDEO

CLICCA E GUARDA

Conosciamo più da vicino la magia dei tessuti, un importante settore della moda italiana.

Trovi il video nel libro digitale.

1  **(2-51) Ascolta e leggi.**

Matilde: Ragazzi, che bello! Domani finalmente cominciano le vacanze!

Rafael: Sì, davvero! Non vedo l'ora di partire!

Alice: Rafael, dove vai?

Rafael: Come ogni anno andiamo in campagna in Toscana, in un agriturismo e poi una settimana al mare in Marocco.

Alice: Che bello! Andate in aereo?

Rafael: Sì, certo! Partiamo da Torino il 20 agosto. E voi invece?

Silvia: Anche noi prima in campagna, in Umbria, a casa dei nonni, e poi dieci giorni al mare, a Rimini. Andiamo tutti gli anni in una piccola pensione sul mare, davvero molto carina.

Damiano: Noi andiamo al lago di Garda, abbiamo una casa estiva lì. Viene anche un mio amico così andiamo tutti i giorni a Gardaland.

Matilde: Il parco divertimenti?

Damiano: Sì, è davvero super. È vicino a casa nostra, ci possiamo andare anche in bicicletta! Dai, venite anche voi!

Alice: Uaooo! Sarebbe fantastico!

Matilde: Noi andiamo in un villaggio turistico in Sicilia. I miei genitori non vogliono fare un viaggio così lungo in macchina, allora prendiamo il treno e poi anche il traghetto! E tu Alice, dove vai?

Alice: Mamma e papà vogliono andare in montagna. Partiamo in autobus il primo agosto e facciamo prima una settimana in campeggio a Pila e dopo altre due settimane in albergo a Cervinia.

Rafael: Val d'Aosta? Che bello! Allora va' a visitare il castello di Fenis, è spettacolare! Fa' tante foto!

Attenzione!

'Non vedo l'ora' significa 'aspetto con impazienza una cosa che desidero molto'.

2 Indica se le frasi sono vere (V), false (F) o se l'informazione non c'è (?).

	V	F	?
I ragazzi parlano delle vacanze.	☑	☐	☐
1 Rafael va una settimana in Marocco.	☐	☐	☐
2 I nonni di Silvia abitano in campagna.	☐	☐	☐
3 Silvia rimane in campagna due settimane.	☐	☐	☐
4 Damiano va al lago di Garda in autobus.	☐	☐	☐
5 Matilde va in vacanza in luglio.	☐	☐	☐
6 I genitori di Matilde vogliono prendere la macchina.	☐	☐	☐
7 Rafael consiglia ad Alice di visitare il castello di Fenis.	☐	☐	☐

In questa unità imparo:
- le stagioni; i mezzi di trasporto; gli alloggi per le vacanze;
- a chiedere e dire come e dove si trascorrono le vacanze;
- a invitare, accettare o rifiutare un invito; a dare consigli;
- le preposizioni di tempo; il modo imperativo; le preposizioni articolate.

3 Chi può spedire queste cartoline?

1   Rafael, Silvia, Matilde _____. 2 _____ .

3 _____ . 4 _____ . 5 _____ .

4 Rileggi il dialogo e scrivi i mezzi di trasporto.

aereo _____
_____
_____

ADESSO TOCCA A TE!

5 E le tue vacanze? Dove, come, quando e con chi vai? Parlane con i compagni.

Gli alloggi per le vacanze

1 (2-52) Cerca nel dialogo a pagina 114 i nomi di questi alloggi per le vacanze e scrivili sotto le foto. Dopo ascolta e controlla.

1 _____

2 _____

3 _____

4 _____

5 _____

6 _____

Le stagioni

2a (2-53) Ascolta e completa. Dopo associa alle figure le parole che scrivi nel testo.

In _____ andiamo in montagna, in _____ invece preferiamo la campagna.
In _____ che caldo! Tutti al mare a fare il bagno! E in _____ poi, noi studenti cosa facciamo?

1 _____

2 _____

3 _____

4 _____

2b Adesso trova nella serpentina la risposta alla domanda nell'esercizio 2a.

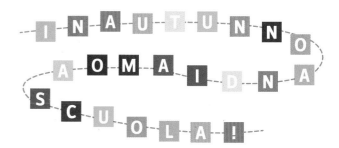

I mezzi di trasporto

3 Completa il cruciverba con i nomi dei mezzi di trasporto.

1 Ho un motore, quattro ruote e trasporto cose e persone.
2 Io viaggio... sotto le grandi città.
3 Ho due ruote e posso essere molto veloce!
4 Ho due ruote e sono molto ecologica! Con me viaggi e fai sport.
5 Con me vai da una città all'altra. Mi fermo nelle stazioni.
6 Con me puoi andare da Roma a New York in poche ore.
7 Con me vai da un'isola all'altra.
8 Posso portare anche cinquanta persone! Molti mi usano per spostarsi in città.

Cosa fai in vacanza?

4 (2-54) Scrivi sotto a ogni disegno l'azione giusta. Poi ascolta e controlla.

> andare a cavallo ■ andare in barca a vela ■ andare in bicicletta ■ fare arrampicata ■
> fare una passeggiata ■ fare windsurf ■ prendere il sole ■ rilassarsi ■ sciare ■ tuffarsi

1 _____

2 _____

3 _____

4 _____

5 _____

6 _____

7 _____

8 _____

9 _____

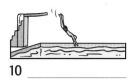

10 _____

Congiunzioni e avverbi

5 Completa le frasi con gli avverbi e le congiunzioni nel riquadro.

> ma ■ prima ■ allora ■ invece ■ dopo

1 Quest'estate noi andiamo _____ in montagna e _____ al mare.
2 I miei genitori non vogliono guidare _____ prendiamo il treno.
3 Questo albergo è molto bello _____ anche molto costoso.
4 Noi andiamo in campagna, voi _____ andate al lago.

Chiedere e dire dove e come si passano le vacanze

1 (2-55) Ascolta e ripeti.

A Dove vai quest'anno in vacanza?
B Vado al mare.
B In montagna.
B Ancora non lo so.

A Quest'anno in vacanza vai al mare?
B Sì, vado al mare.
B No, vado in campagna.

A Come passi il tempo in vacanza?
A Come trascorri le vacanze?
B Mi rilasso e dormo molto.
B Faccio sport e leggo molto.
B Sto tutto il giorno sulla spiaggia.

2 In coppia. Guardate le foto e dialogate, come nell'esempio.

Dove va Simone in vacanza?

Va in campagna.

E cosa fa in campagna?

Si rilassa, va a cavallo...

Invitare. Accettare e rifiutare un invito

3 (2-56) Ascolta e leggi.

A Vuoi venire con me al mare?
B Sì grazie, volentieri.
B Mi dispiace, non posso.

A Perché non vieni con noi al cinema?
B Bello! Vengo volentieri.
B Vorrei, ma devo studiare.

A Dai, venite con noi in piscina!
B Certo, perché no?
B Magari un'altra volta, grazie.

4 Guarda le illustrazioni e scrivi dei dialoghi.

5 In coppia. Con le frasi nel riquadro invita il compagno secondo i modelli dell'esercizio 3.

fare una gita in barca a vela ▪
andare a mangiare un gelato ▪ guardare
un film in DVD ▪ nuotare in piscina ▪
giocare a ping pong

Dare consigli

6 (2-57) **Ascolta e ripeti.**

A Ho un po' fame...

B Fa' merenda.

B Perché non fai merenda?

B Allora mangia un gelato.

7 (2-58) **Abbina le frasi. Dopo ascolta e controlla.**

1 [c] Vogliamo imparare a sciare.

2 ☐ Devo andare in Sardegna.

3 ☐ Che sonno!

4 ☐ Non ho la penna.

5 ☐ Non trovo il mio telefonino.

6 ☐ Non sappiamo nuotare.

7 ☐ Mi piacciono i film di fantascienza.

8 ☐ Questo esercizio è difficile!

a Allora usa la mia.

b Allora va' a vedere *Avatar*!

c Andate in montagna.

d Chiedi aiuto al tuo compagno.

e Prendi il traghetto.

f Controlla bene nel tuo zaino.

g Perché non vai a letto?

h Perché non fate un corso in piscina?

8 Dai il consiglio giusto a un tuo amico.

leggere libri italiani ■ parlare con amici italiani ■ fare sport ■ andare in palestra ■ ascoltare canzoni italiane ■ mangiare molta frutta

1 Voglio essere in forma...

Fa' sport
_____
_____

2 Voglio imparare bene l'italiano...

_____
_____
_____

I suoni 'r' e 'l'

1 (2-59) **Ascolta e ripeti.**

registro	limone
ruota	luna
ritmo	liceo
ragazzo	latino
regione	legione

2 (2-60) **Leggi queste parole. Dopo ascolta e controlla la pronuncia.**

realtà	radio
lavoro	Roma
latte	laboratorio
luce	regalo
rosa	lasagne

3 Leggi più volte ad alta voce questi scioglilingua.

Tigre contro tigre

Treno contro treno

Trentatré trentini entrarono a Trento trotterellando

I suoni 'b' e 'v'

4 (2-61) **Ascolta e ripeti.**

ballare	viaggiare
baffi	vela
banca	veloce
balcone	villaggio
bambino	vacanze

5 (2-62) **Ascolta le parole e scrivi se cominciano con 'b' o con 'v'.**

'b'	'v'
_____	_____
_____	_____
_____	_____
_____	_____
_____	_____

L'imperativo

	-are	-ere	-ire
tu	lav**a**	ved**i**	apr**i**
lui/lei	lav**i**	ved**a**	apr**a**
noi	lav**iamo**	ved**iamo**	apr**iamo**
voi	lav**ate**	ved**ete**	apr**ite**
loro	lav**ino**	ved**ano**	apr**ano**

> L'imperativo si usa per dare ordini e consigli. Con l'imperativo normalmente non si usano i pronomi soggetto.
>
> Le desinenze per 'noi' e 'voi' sono uguali al presente indicativo. Il 'Lei' di cortesia si coniuga come lui/lei.
>
> Anche all'imperativo alcuni verbi della terza coniugazione prendono **–isc** come al presente indicativo: fin**isc**i, fin**isc**a, sped**isc**i, sped**isc**a.

Imperativo di fare e andare

	Fare	Andare
tu	fa'/fai	va'/vai
lui/lei	faccia	vada
noi	facciamo	andiamo
voi	fate	andate
loro	facciano	vadano

1 Abbina i verbi ai pronomi.

1	b	telefoni		9	☐	chieda
2	☐	mangia		10	☐	prenda
3	☐	parta		11	☐	studia
4	☐	ascolta	**a** tu	12	☐	finisci
5	☐	leggi	**b** lui/lei/Lei	13	☐	entri
6	☐	chiuda		14	☐	prepara
7	☐	apra		15	☐	guarda
8	☐	pulisca		16	☐	lava

2 Completa il testo con i verbi all'imperativo.

Vacanze in Italia

Vuoi andare in vacanza in Italia? Allora ascolta questi consigli. Per prima cosa, (andare) _____ in un posto non troppo famoso, così non trovi molta gente. (Prendere) _____ una guida in libreria e (leggere) _____ con attenzione per scoprire quali sono le cose più interessanti da fare. La notte (dormire) _____ almeno otto ore: la vacanza è anche riposo! È importante conoscere la cultura e le tradizioni del posto, allora (mangiare) _____ i cibi locali, (fare) _____ delle gite e (visitare) _____ i musei. Prima di tornare a casa (comprare) _____ qualcosa di tipico, per avere sempre con te un ricordo di questa bella vacanza!

3 Consigli per le vacanze in Italia. Guarda le foto e scrivi sotto a ognuna la frase giusta all'imperativo.

> prendere una guida in libreria ■ mangiare cibo italiano ■ comprare oggetti italiani ■ visitare un museo

1 _____   2 _____

3 _____   4 _____

4 Adesso riscrivi tutto il testo sul tuo quaderno con i consigli dati in modo formale.

Vuole andare in vacanza in Italia?
Allora ascolti questi consigli.

Le preposizioni di tempo

Nell'unità 5 abbiamo studiato alcune preposizioni che indicano il tempo.

- **A** indica a che ora si fa un'azione.
  *Pranziamo **a** mezzogiorno.*

- **Da ... a** indicano quando comincia e finisce un'azione.
  *Faccio i compiti **dalle** due **alle** sei.*
  *Il supermercato è aperto **dal** lunedì **al** sabato, **dalle** 8.00 **alle** 20.00.*

- **Di** indica la parte della giornata o il giorno in cui regolarmente si fa un'azione.
  Di sera guardo un po' la tv.

- **In** si usa davanti alle espressioni che indicano ritardo o anticipo.
  *Maria arriva in anticipo **a** lezione.*

La preposizione **fra/tra** indica quanto tempo passa fra il presente e un'azione futura.
*Le vacanze cominciano **fra** tre giorni*
(tre giorni a partire da oggi).
*La lezione finisce **tra** cinque minuti*
(cinque minuti a partire da adesso).

Con le stagioni si usano **in** e **di**:
*In estate vado al mare. **D'**estate vado al mare.*

Con i mesi si usano indifferentemente **a** e **in**:
*La scuola inizia **a/in** settembre.*

Attenzione!

Con le date non si usano le preposizioni ma l'articolo determinativo.
*Partiamo per la montagna **il** 3 agosto.*

5 Completa le frasi.

In estate molti italiani vanno in vacanza.

1 Il film comincia _____ cinque minuti.
2 La scuola finisce _____ giugno.
3 _____ inverno andiamo a sciare.
4 L'estate inizia _____ 21 giugno.
5 Il treno arriva a Roma _____ venti minuti.
6 _____ un mese vado in America.
7 _____ agosto vado al mare.
8 _____ 20 luglio parto per l'Inghilterra.

Riepilogo delle preposizioni articolate

	a	da	di	in	su
il	al	dal	del	nel	sul
lo	allo	dallo	dello	nello	sullo
l'	all'	dall'	dell'	nell'	sull'
la	alla	dalla	della	nella	sulla
i	ai	dai	dei	nei	sui
gli	agli	dagli	degli	negli	sugli
le	alle	dalle	delle	nelle	sulle

Le preposizioni 'con', 'tra/fra' e 'per' non si uniscono all'articolo ma rimangono sempre separate.

*Gioco **con** i miei amici; Questo regalo è **per** la mia amica.*

6 Scrivi le preposizioni articolate.

di + lo = *dello*
1 in + l' = _____
2 su + gli = _____
3 a + il = _____
4 di + la = _____
5 da + i = _____
6 in + il = _____
7 da + lo = _____
8 di + le = _____
9 a + l' = _____
10 su + la = _____

VERSO LA CERTIFICAZIONE

Competenza linguistica

1 Scegli le parole giuste per completare il testo.

UNDER 18. PER STUDIO, PER SPORT O PER GIOCO
L'estate che fa diventare grandi

Arriva l'estate e molti genitori hanno un problema: le scuole chiudono e dove possiamo mandare i **1** _c_ mentre noi lavoriamo ancora? Negli ultimi anni la tendenza è di abbinare lo **2** ___ di una lingua straniera con una vacanza all'estero. Sono 800.000 i bambini e i ragazzi **3** ___ che viaggiano da soli: le prime esperienze cominciano addirittura a otto **4** ___,

anche se la maggior parte dei giovani viaggiatori ha almeno tredici anni. Oggi anche in Italia **5** ___ molti campus dove è possibile studiare una lingua straniera con **6** ___ madrelingua.
Alternativi allo studio delle lingue sono i parchi avventura, le settimane verdi e le settimane a cavallo sulle montagne. Esperienze emozionanti che, oltre a divertire, aiutano a diventare indipendenti.

1 **a** papà	**b** nonni	**c** bambini
2 **a** studio	**b** studente	**c** sport
3 **a** imparano	**b** italiani	**c** facilmente
4 **a** anni	**b** agosto	**c** estate
5 **a** sono	**b** hanno	**c** ci sono
6 **a** mamma	**b** papà	**c** insegnanti

Ascoltare

2 (2-63) Ascolta il dialogo e completa le frasi.

1 Aurelio va a Ferrara
  a ☐ per visitare un parco divertimenti.
  b ☐ per fare una gita.
  c ☐ per andare in piscina.

2 Aurelio e i suoi amici rimangono a Ferrara
  a ☐ due giorni, forse tre.
  b ☐ quattro giorni.
  c ☐ un giorno.

3 A Mirabilandia
  a ☐ c'è un festival.
  b ☐ ci sono artisti da tutto il mondo.
  c ☐ ci sono le piscine.

4 Martina non può andare con Aurelio perché
  a ☐ deve studiare.
  b ☐ deve fare un'altra gita.
  c ☐ non vuole.

Leggere

3 Leggi l'email che Aurelio spedisce a Martina da Ferrara e abbina le fotografie alle descrizioni.

Ciao Martina,

ti mando alcune foto del nostro fine settimana. Hai proprio ragione, Mirabilandia è fantastica!

Guarda questa foto [A] del labirinto degli specchi! Siamo proprio buffi, grassi grassi o alti e magri!

In quest'altra foto [ ] invece siamo a Ferrara, davanti al Castello Estense (una pausa per un gelato!).

In questa foto [ ] siamo nella bella piazza davanti al duomo, a vedere gli artisti di strada. Che spettacolo interessante! In ultimo, una foto [ ] di un sorprendente parcheggio di biciclette: guarda quante sono! Eh, già! Ferrara è la capitale italiana della bicicletta, tutti su due ruote!

E tu come stai? Come va lo studio? Ancora in bocca al lupo per gli esami!

A presto

Aurelio

Scrivere

4 Scrivi la risposta di Martina all'email di Aurelio.

5 Un tuo amico vuole visitare la tua città. Scrivi un'email con i tuoi consigli su cosa fare e cosa vedere.

Parlare

6 Tu e un tuo compagno volete organizzare una gita per il fine settimana. Pensa cosa vuoi fare e proponi la tua idea. Dopo ascolta le sue idee e spiega perché accetti o rifiuti.

I parchi divertimento

L'Italia è ricca di parchi divertimento per tutti i gusti. Per passare una giornata diversa ed emozionante hai la possibilità di scegliere fra mille alternative. Ecco alcuni esempi.

È il parco acquatico di Roma, comodo da raggiungere anche con i mezzi pubblici dal centro della capitale. Grandi e piccoli trovano qui il luogo ideale per vivere giornate indimenticabili all'insegna del divertimento, dello sport e del relax: acquascivoli, piscine con grandi onde artificiali, animazione, idromassaggio, lezioni di acquagym, shopping center e tanto altro per passare il tempo in allegria. I più intrepidi possono provare la discesa nel Black Hole, la pista più lunga d'Europa (190 metri) o il Kamikaze, una elettrizzante discesa da un'altezza di più di 30 metri. Ma Hydromania non è solo acqua! Puoi divertirti anche con i balli di gruppo, la caccia al tesoro e... i magici fiocchi di neve-schiuma!

È un grande parco divertimento vicino a Verona, con grandi aree acquatiche e tematiche come l'Egitto, il Far West e il Fantasy Kingdom. È aperto da fine marzo all'inizio di novembre e anche nel periodo delle vacanze di Natale. Le attrazioni sono numerose e per tutte le età, dai bambini più piccoli a quelle amate molto dagli adulti. Nel parco ogni sera ci sono spettacoli di vario genere: tecnologici, di magia e illusionismo, acrobazie, balletti e molti altri. Ma non c'è solo il divertimento! Infatti a Gardaland le scuole possono organizzare lezioni e laboratori per imparare in modo simpatico e piacevole. La mascotte del parco è Prezzemolo, uno spiritoso drago con i capelli rossi.

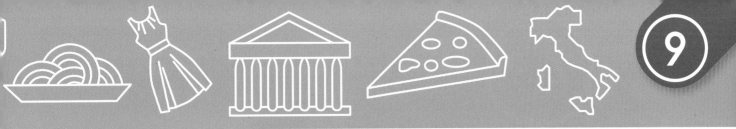

È un parco avventura in Calabria che propone un modo diverso ed emozionante di passare il tempo libero, a contatto diretto con la natura.
Qui si possono fare molte attività sportive come trekking, rafting, canoa, escursioni in mountain bike e gli emozionanti percorsi acrobatici che richiedono equilibrio e spirito d'avventura per camminare e scivolare in alto fra gli alberi. Il parco avventura rispetta la natura e insegna ad amarla.
È aperto a tutti perché offre attività e divertimenti adatti a persone di ogni età: scuole, famiglie, gruppi organizzati, aziende. E per i più pigri? Aree picnic con barbecue, per rilassarsi in un ambiente meraviglioso. Orme nel Parco è aperto dal 25 aprile al 1º novembre.

	Hydromania	Orme nel Parco	Gardaland Park
1 Le scuole possono fare lezioni e laboratori.	☐	☐	☐
2 È possibile fare picnic.	☐	☐	☐
3 La mascotte è un drago.	☐	☐	☐
4 Si organizzano balli di gruppo.	☐	☐	☐
5 Ci sono lezioni di acquagym.	☐	☐	☐
6 Ci sono attività a contatto con la natura.	☐	☐	☐

VIDEO

CLICCA E GUARDA

Interviste alla stazione Termini di Roma per sapere come viaggiano gli italiani e cosa pensano del servizio ferroviario.

Trovi il video nel libro digitale.

1 Completa le frasi.

1 Il farmacista vende _____ .

2 Il _____ cura gli animali.

3 Il pompiere _____ gli incendi.

4 La cameriera serve _____ .

5 Il _____ taglia i capelli.

6 Il meccanico _____ le auto.

7 Il musicista suona _____ .

8 Il _____ opera i pazienti.

Punti _____ 8

2 Osserva i numeri, calcola e trova i vestiti di Silvia, Rafael e Alice.

1 La somma dei vestiti di Silvia è 40. I suoi vestiti sono _____ .

2 La somma dei vestiti di Rafael è 69. I suoi vestiti sono _____ .

3 La somma dei vestiti di Alice è 30. I suoi vestiti sono _____ .

Punti _____ 6

3 Completa le frasi.

1 Per andare in Sicilia prendiamo il _____ .

2 Andiamo in Australia in _____ .

3 Mia madre va al lavoro in _____ .

4 Vado sempre a Milano in _____ .

5 Che bello andare in _____ al parco!

6 Per evitare il traffico prendo sempre la _____ .

Punti _____ 6

4 Completa le frasi con i verbi.

contenere ▪ dire ▪ potere ▪ scegliere ▪ spegnere ▪ rimanere ▪ sapere ▪ volere

1 Tu _____ un regalo per tua madre.

2 Zoe è stanca, _____ a letto ancora un po'.

3 Io _____ la tv e vado a dormire.

4 Ragazzi scusate, _____ aprire la finestra?

5 Pinocchio _____ molte bugie.

6 Mario ha sete, _____ una limonata.

7 Io _____ tre lingue.

8 Lo zaino è grande, _____ molti libri.

Punti _____ 8

5 Completa la tabella.

	a	da	di	in	su
il		dal			sul
lo	allo			nello	
l'			dell'		sull'
la			della	nella	
i	ai		dei		sui
gli	agli			negli	
le		dalle			sulle

Punti _____ 20

6 Completa le frasi con il verbo 'piacere'.

1 Amo la musica, _____ specialmente il rock.

2 Maria, guarda questi stivali, _____ _____?

3 Non leggo mai i fumetti, non _____ _____.

4 Giada, _____ giocare a pallavolo?

5 Mangio sempre gli spaghetti, _____ _____ da morire.

6 Tu vuoi fare il veterinario perché _____ _____ gli animali.

Punti _____ 6

7 Completa con i verbi all'imperativo.

1 Paola, quando hai fame, (mangiare) _____ una mela.

2 Ragazzi, siete stanchi, (andare) _____ a letto.

3 Rita lavora molto, (andare) _____ un po' in vacanza.

4 Michele, quando ti alzi la mattina, (fare) _____ colazione.

5 Gaia, se vuoi uscire, prima (finire) _____ i compiti.

6 Per favore Lidia, (chiudere) _____ la finestra.

Punti _____ 6

8 (2-64) Ascolta e completa.

1 Per piacere, _____ preparare due caffè e un cappuccino?

2 Mamma, _____ venire qui un minuto?

3 Scusi professore, _____ ripetere, per favore?

4 Salve, _____ vedere quelle scarpe rosse?

5 Ragazzi, per favore, _____ fare meno rumore?

6 Scusi, _____ fare una domanda?

Punti _____ 6

9 Guarda le foto e scegli la vacanza che ti piace di più. Dopo scrivi una mail a un amico e spiega la tua scelta, cosa ti piace, cosa non ti piace e perché.

Punti _____ 14

Calcola il punteggio totale e verifica con l'insegnante.

Punti _____ / 80

Glossario

In questo glossario trovi le parole che hai imparato in ogni unità. Sono elencate in ordine alfabetico e, per ricordarle meglio, puoi scrivere la traduzione nella tua lingua sulle righe vicino alle parole.

 ## Abbreviazioni

agg.	=	aggettivo
avv.	=	avverbio
cong.	=	congiunzione
inter.	=	interiezione
n.f.	=	nome femminile
n.m.	=	nome maschile
plur.	=	plurale
prep.	=	preposizione
pron.	=	pronome
rifl.	=	riflessivo
v.	=	verbo

Unità 0

alfabeto *n.m.* _____
arancione *agg.* _____
banco *n.m.* _____
bianco *agg.* _____
blu *agg.* _____
cartina *n.f.* _____
celeste *agg.* _____
ciao *inter.* _____
classe *n.f.* _____
colore *n.m.* _____
compagno *n.m.* _____
dizionario *n.m.* _____
domanda *n.f.* _____
giallo *agg.* _____
gomma *n.f.* _____
grigio *agg.* _____
lavagna *n.f.* _____
libro *n.m.* _____
marrone *agg.* _____
matita *n.f.* _____
nero *agg.* _____

nome *n.m.* _____
numero *n.m.* _____
pagina *n.f.* _____
penna *n.f.* _____
quaderno *n.m.* _____
rosa *agg.* _____
rosso *agg.* _____
temperino *n.m.* _____
verde *agg.* _____
viola *agg.* _____

Unità 1

abitare *v.* _____
amare *v.* _____
Argentina *n.f.* _____
argentino *agg.* _____
arrivederci *inter.* _____
ascoltare *v.* _____
attore *n.m.* _____
attrice *n.f.* _____
bambino *n.m.* _____
benvenuto *inter.* _____
Brasile *n.m.* _____
brasiliano *agg.* _____
buonanotte *inter.* _____
buonasera *inter.* _____
buongiorno *inter.* _____
cane *n.m.* _____
chiamarsi *v.* _____
Cina *n.f.* _____
cinese *agg.* _____
cominciare *v.* _____
comprare *v.* _____
direttore *n.m.* _____
direttrice *n.f.* _____
donna *n.f.* _____
dottore *n.m.* _____
dottoressa *n.f.* _____
Egitto *n.m.* _____
egiziano *agg.* _____
essere *v.* _____
francese *agg.* _____
Francia *n.f.* _____
gatto *n.m.* _____

geografia *n.f.* _____

Germania *n.f.* _____

Giappone *n.m.* _____

giapponese *agg.* _____

giorno *n.m.* _____

guardare *v.* _____

India *n.f.* _____

indiano *agg.* _____

infermiere *v.* _____

insegnare *v.* _____

Italia *n.f.* _____

italiano *agg.* _____

lezione *n.f.* _____

mangiare *v.* _____

mucca *n.f.* _____

nazionalità *n.f.* _____

Nigeria *n.f.* _____

nigeriano *agg.* _____

nuovo *agg.* _____

parlare *v.* _____

piacere *n.m.* _____

pittore *n.m.* _____

pittrice *n.f.* _____

professore *n.m.* _____

professoressa *n.f.* _____

ragazzo *n.m.* _____

salve *inter.* _____

scuola *n.f.* _____

Spagna *n.f.* _____

spagnolo *agg.* _____

studente *n.m.* _____

studentessa *n.f.* _____

Svizzera *n.f.* _____

svizzero *agg.* _____

tedesco *agg.* _____

toro *n.m.* _____

uomo *n.m.* _____

Unità 2

acqua *n.f.* _____

anno *n.m.* _____

agosto *n.m.* _____

aprile *n.m.* _____

auguri *n.m.* _____

avere *v.* _____

bacio *n.m.* _____

bello *agg.* _____

bene *avv.* _____

buono *agg.* _____

candelina *n.f.* _____

cantare *v.* _____

cioccolatino *n.m.* _____

compleanno *n.m.* _____

cornetto *n.m.* _____

dente *n.m.* _____

dicembre *n.m.* _____

febbraio *n.m.* _____

festa *n.f.* _____

festeggiare *v.* _____

fetta *n.f.* _____

fiore *n.m.* _____

gennaio *n.m.* _____

male *avv.* _____

piccolo *agg.* _____

stare *v.* _____

tanto *agg. e avv.* _____

Unità 3

appunti *n.m. plur.* _____

aprire *n.m.* _____

armadio *n.m.* _____

astuccio *n.m.* _____

borsa *n.f.* _____

caramella *n.f.* _____

cattedra *n.f.* _____

cestino *n.m.* _____

chiedere *v.* _____

comodo *agg.* _____

correggere *v.* _____

dimenticare *v.* _____

discutere *v.* _____

distratto *agg.* _____

dormire *v.* _____

educazione *n.f.* _____

fila *n.f.* _____

finestra *n.f.* _____

grande *agg.* _____

indicare *v.* _____

leggere *v.* _____

matematica *n.f.* _____

materia *n.f.* _____

microscopio *n.m.* _____

montagna *n.f.* _____

notizia *n.f.* _____

occhiali *n.m. plur.* _____

occhio *n.m.* _____

offrire *v.* _____

pallacanestro *n.f.* _____

pentagramma *n.m.* _____

permesso *n.m.* _____

porta *n.f.* _____

righello *n.m.* _____

ripetere *v.* _____

risolvere *v.* _____

scienze *n.f. plur.* _____

scrivere *v.* _____

sedia *n.f.* _____

seguire *v.* _____

sorridere *v.* _____

sottolineare *v.* _____

storia *n.f.* _____

televisore *n.m.* _____

timido *agg.* _____

zaino *n.m.* _____

Unità 4

allegro *agg.* _____

alto *agg.* _____

antipatico *agg.* _____

aperto *agg.* _____

atletica *n.f.* _____

attento *agg.* _____

attivo *agg.* _____

aula *n.f.* _____

avaro *agg.* _____

azzurro *agg.* _____

baffi *n.m. plur.* _____

barba *n.f.* _____

basso *agg.* _____

biondo *agg.* _____

calcio *n.m.* _____

campo *n.m.* _____

capelli *n.m. plur.* _____

capire *v.* _____

castano *agg.* _____

cattivo *agg.* _____

chiacchierone *agg.* _____

chiuso *agg.* _____

coraggioso *agg.* _____

corridoio *n.m.* _____

cortile *n.m.* _____

corto *agg.* _____

curioso *agg.* _____

disinvolto *agg.* _____

disordinato *agg.* _____

disponibile *agg.* _____

divertente *agg.* _____

fare *v.* _____

finire *v.* _____

generoso *agg.* _____

genitori *n.m. plur.* _____

gentile *agg.* _____

giovane *agg.* _____

goloso *agg.* _____

grasso *agg.* _____

intelligente *agg.* _____

laboratorio *n.m.* _____

lisci *agg. plur.* _____

lungo *agg.* _____

magro *agg.* _____

moro *agg.* _____

noioso *agg.* _____

ordinato *agg.* _____

palestra *n.f.* _____

pallavolo *n.f.* _____

pauroso *agg.* _____

pigro *agg.* _____

preferire *v.* _____

ricci *agg. plur.* _____

robusto *agg.* _____

scherzoso *agg.* _____

segreteria *n.f.* _____

serio *agg.* _____

simpatico *agg.* _____

spedire *v.* _____

sportivo *agg.* _____

studioso *agg.* _____

triste *agg.* _____

ufficio *n.m.* _____

Unità 5

alzarsi *v. rifl.* _____

andare *v.* _____

anticipo (in) *avv.* _____

banca *n.f.* _____

bere *v.* _____

biblioteca *n.f.* _____

campagna *n.f.* _____

cena *n.f.* _____

centro *n.m.* _____

colazione *n.f.* _____

davvero *avv.* _____

discoteca *n.f.* _____

doccia *n.f.* _____

domenica *n.f.* _____

giovedì *n.m.* _____

latte *n.m.* _____

lavarsi *v.* _____

letto *n.m.* _____

lunedì *n.m.* _____

mai *avv.* _____

mare *n.m.* _____

martedì *n.m.* _____

mattino *n.m.* _____

mercoledì *n.m.* _____

mettersi *v. rifl.* _____

notte *n.f.* _____

ora *n.f.* _____

pasticceria *n.f.* _____

pettinarsi *v. rifl.* _____

pigiama *n.m.* _____

piscina *n.f.* _____

pomeriggio *n.m.* _____

pranzare *v.* _____

prendere *v.* _____

prepararsi *v. rifl.* _____

presto *avv.* _____

qualche volta *avv.* _____

raramente *avv.* _____

ritardo (in) *avv.* _____

sabato *n.m.* _____

sempre *avv.* _____

sera *n.f.* _____

settimana *n.f.* _____

solito (di) *avv.* _____

spesso *avv.* _____

svegliarsi *v. rifl.* _____

tardi *avv.* _____

tornare *v.* _____

truccarsi *v. rifl.* _____

uscire *v.* _____

venerdì *n.m.* _____

vestirsi *v. rifl.* _____

volte (a) *avv.* _____

Unità 6

bagno *n.m.* _____

camera *n.f.* _____

cantina *n.f.* _____

comodino *n.m.* _____

cucina *n.f.* _____

cugino *n.m.* _____

davanti *avv.* _____

dentro *avv.* _____

dietro *avv.* _____

divano *n.m.* _____

famiglia *n.f.* _____

figlio *n.m.* _____

fratello *n.m.* _____

frigorifero *n.m.* _____

garage *n.m.* _____

gemello *n.m.* _____

identico *agg.* _____

ingresso *n.m.* _____

lavandino *n.m.* _____

lavatrice *n.f.* _____

libreria *n.f.* _____

madre *n.f.* _____

mamma *n.f.* _____

materno *agg.* _____

mostrare *v.* _____

nipote *n.m. e f.* _____

nonno *n.m.* _____

padre *n.m.* _____

pantofola *n.f.* _____

papà *n.m.* _____

parco *n.m.* _____

paterno *agg.* _____

poltrona *n.f.* _____

GLOSSARIO

portare *v.* _____

scrivania *n.f.* _____

soffitta *n.f.* _____

soggiorno *n.m.* _____

somigliare *v.* _____

sopra *avv.* _____

sorella *n.f.* _____

sotto *avv.* _____

specchio *n.m.* _____

studio *n.m.* _____

tappeto *n.m.* _____

tavolo *n.m.* _____

venire *v.* _____

vicino *avv.* _____

zio *n.m.* _____

Unità 7

ambulatorio *n.m.* _____

architetto *n.m.* _____

arrestare *v.* _____

auto *n.f.* _____

avvocato *n.m.* _____

ballerino *n.m.* _____

barista *n.m. e f.* _____

cameriere *n.m.* _____

chirurgo *n.m.* _____

cliente *n.m. e f.* _____

commessa *n.f.* _____

consegnare *v.* _____

costruire *v.* _____

criminale *n.m. e agg.* _____

curare *v.* _____

dare *v.* _____

difendere *v.* _____

dipingere *v.* _____

dire *v.* _____

disegnare *v.* _____

disegnatore *n.m.* _____

dovere *v.* _____

fabbrica *n.f.* _____

farmacista *n.m. e f.* _____

giornalista *n.m. e f.* _____

impiegato *n.m.* _____

incendio *n.m.* _____

informatico *n.m. e agg.* _____

lavorare *v.* _____

macchina *n.f.* _____

meccanico *n.m.* _____

medicina *n.f.* _____

medico *n.m.* _____

multa *n.f.* _____

musicista *n.m. e f.* _____

negozio *n.m.* _____

officina *n.f.* _____

operaio *n.m.* _____

operare *v.* _____

parrucchiere *n.m.* _____

pilota *n.m.* _____

poliziotto *n.m.* _____

pompiere *n.m.* _____

postino *n.m.* _____

potere *v.* _____

progettare *v.* _____

pulito *agg.* _____

quadro *n.m.* _____

raccogliere *v.* _____

recitare *v.* _____

redazione *n.f.* _____

riparare *v.* _____

sapere *v.* _____

scegliere *v.* _____

scrittore *n.m.* _____

servire *v.* _____

spegnere *v.* _____

suonare *v.* _____

tagliare *v.* _____

tenere *v.* _____

tuono *n.m.* _____

vendere *v.* _____

veterinario *n.m.* _____

vigile urbano *n.m.* _____

volere *v.* _____

Unità 8

accessorio *n.m.* _____

berretto *n.m.* _____

calzino *n.m.* _____

camicia *n.f.* _____

cappello *n.m.* _____

cappotto *n.m.* _____

caro *agg.* _____

cintura *n.f.* _____

costare *v.* _____

cotone *n.m.* _____

felpa *n.f.* _____

giaccone *n.m.* _____

giubbotto *n.m.* _____

gonna *n.f.* _____

guanto *n.m.* _____

lana *n.f.* _____

maglietta *n.f.* _____

maglione *n.m.* _____

pantaloni *n.m. plur.* _____

piacere *v.* _____

prezzo *n.m.* _____

provare *v.* _____

riga *n.f.* _____

saldo *n.m.* _____

scarpa *n.f.* _____

sciarpa *n.f.* _____

sconto *n.m.* _____

seta *n.f.* _____

stivale *n.m.* _____

taglia *n.f.* _____

tessuto *n.m.* _____

tinta *n.f.* _____

velluto *n.m.* _____

vestito *n.m.* _____

estate *n.f.* _____

estivo *agg.* _____

invece *avv.* _____

inverno *n.m.* _____

lago *n.m.* _____

ma *cong.* _____

metro *n.f.* _____

partire *v.* _____

passeggiata *n.f.* _____

pensione *n.f.* _____

poi *avv.* _____

prima *avv.* _____

primavera *n.f.* _____

rilassarsi *v.* _____

sciare *v.* _____

sole *n.m.* _____

stagione *n.f.* _____

traghetto *n.m.* _____

treno *n.m.* _____

tuffarsi *v. rifl.* _____

vacanza *n.f.* _____

villaggio turistico *n.m.* _____

visitare *v.* _____

Unità 9

aereo *n.m.* _____

agriturismo *n.m.* _____

albergo *n.m.* _____

allora *avv.* _____

arrampicata *n.f.* _____

autunno *n.m.* _____

barca *n.f.* _____

campeggio *n.m.* _____

carino *agg.* _____

castello *n.m.* _____

cavallo *n.m.* _____

dopo *avv.* _____

Regioni italiane

Comincia il nostro viaggio in alcune regioni italiane. Consulta anche le cartine delle pagine 143 e 144.

Valle d'Aosta

La Valle d'Aosta è la regione più piccola e meno popolata d'Italia. Il suo capoluogo è Aosta. Il territorio è quasi del tutto montuoso, infatti qui ci sono le montagne più alte d'Italia: il monte Rosa, il monte Cervino e il monte Bianco, attraversato dal traforo che mette in comunicazione l'Italia con la Francia. È una zona molto turistica sia per le piste da sci sia per le escursioni nel Parco nazionale del Gran Paradiso. In Valle d'Aosta si parlano più lingue: l'italiano, il francese e il provenzale. Il piatto locale è la fonduta, che si prepara con la fontina, un tipico formaggio valdostano.

La fonduta

Amaretti

Piemonte

Il Piemonte è una regione in parte montuosa e in parte pianeggiante; nella zona alpina sorge il Monviso, la montagna da cui nasce il Po, il fiume più lungo d'Italia. Il capoluogo è Torino (vedi pagine 62 e 63). In Piemonte l'allevamento e l'agricoltura sono molto importanti, ma è anche una regione industrializzata, infatti qui ci sono aziende storiche come la FIAT (automobili) e l'Olivetti (macchine da scrivere e computer). Questa è la patria dello *slow food*: molti ristoranti e agriturismi invitano i clienti a mangiare il cibo lentamente e in compagnia, per combattere la fretta dei *fast food* che toglie il piacere del gusto e degli incontri a tavola tra amici. In ultimo è da ricordare che, quando nasce l'Italia unita, grazie al re Vittorio Emanuele II di Savoia, Torino è la prima capitale.

Il modello originale della Fiat 500

Sirmione

Lombardia

Milano, la Galleria

La Lombardia è metà montuosa e metà pianeggiante: a nord ci sono le Alpi, a sud c'è la Pianura Padana attraversata dal Po e dai suoi affluenti. Nella regione sono presenti molti laghi, come il Lago Maggiore, il Lago di Garda e il Lago di Como. L'economia della Lombardia si basa sul turismo, sull'agricoltura, sull'allevamento ma soprattutto sull'industria: Pirelli, Alfa Romeo, Alemagna, fra le più famose. Il capoluogo, Milano, è il centro d'affari più importante d'Italia, sede della Borsa italiana e di moltissime fiere internazionali. La città è famosa anche per alcune specialità come il risotto alla milanese, condito con lo zafferano, e il panettone, il tradizionale dolce natalizio.

Bolzano

Trentino Alto Adige

Il Trentino Alto Adige è una regione completamente montuosa: a est, in particolare, è percorsa dalla catena delle Dolomiti, montagne dal colore rosato. La bellezza del paesaggio e le numerose piste da sci attirano molti turisti in ogni stagione. La zona più a nord, dove si trova la provincia di Bolzano, è stata sotto il dominio austriaco fino alla prima guerra mondiale, perciò si parlano due lingue: l'italiano e il tedesco. Lungo il fiume Adige che attraversa tutta la regione, si trova l'altra provincia, Trento. In Trentino si coltivano viti, patate e alberi di mele, uno dei prodotti più tipici, con cui si prepara un dolce buonissimo, lo strudel. Fanno parte del paesaggio locale anche le mucche, che si possono ammirare nei prati verdi mentre pascolano.

Veneto

Il Veneto è una regione per tutti i gusti, perché ci sono i monti, le colline e il mare. A nord, nella provincia di Belluno, ci sono numerose località sciistiche, tra cui Cortina d'Ampezzo, mentre a est, sul mare Adriatico, ci sono belle spiagge, soprattutto vicino al capoluogo, Venezia. È una regione industriale, agricola, ma innanzitutto turistica. Partendo da Venezia, la famosa città sulla laguna, dove si svolge il noto Carnevale, si passa per Padova, celebre per la sua università e i suoi bellissimi monumenti, e si arriva a Verona, la città di Giulietta e Romeo e degli innamorati, dove si trova la casa di Giulietta. Tra i piatti tipici del Veneto ricordiamo la pasta fatta in casa – i bigoli (simili a spaghetti) e i risi e bisi (riso e piselli) – e il noto dolce natalizio veronese, il pandoro.

La casa di Giulietta

Aquileia

Trieste

Friuli Venezia Giulia

Il Friuli Venezia Giulia si trova a nord-est; nella zona al confine con la Slovenia si parlano due lingue: l'italiano e lo sloveno. Il suo capoluogo, Trieste, è un porto internazionale di grande importanza; da qui parte un lungo oleodotto che arriva fino in Germania. Il Nord del Friuli è montuoso, mentre il Sud è pianeggiante, è quindi possibile coltivare grano, granturco e viti. I turisti sono attratti da questa regione per le sue spiagge dorate, come Lignano Sabbiadoro e Grado, oltre che per i resti di antiche città, come quella romana di Aquileia. I piatti tipici del Friuli sono il frico, formaggio fritto cucinato spesso con patate, e gli strucchi, dolcetti con frutta secca e pinoli.

Gli strucchi

Dalle origini al XIV secolo

Una statua etrusca

Una tomba etrusca a Cerveteri

I popoli italici

Nel 1000 a.C. circa in Italia abitano molte popolazioni: i Liguri, i Veneti, gli Etruschi, i Latini, i Sanniti, i Siculi, i Sardi ecc. ed è proprio da questi antichi popoli che provengono i nomi di alcune attuali regioni. In seguito anche delle popolazioni straniere occupano diverse zone d'Italia: in Sardegna e in Sicilia arrivano i Cartaginesi dal Nord Africa, nell'Italia del Sud invece arrivano i Greci, che fondano le loro colonie conosciute con il nome di 'Magna Grecia'. Gli Etruschi, rispetto agli altri popoli, hanno una civiltà avanzata, come dimostrano le tombe trovate dagli archeologi. Questo popolo esisteva prima dei Romani e due re di Roma sono di origine etrusca.

La nascita di Roma

Secondo la leggenda Roma nasce il 21 aprile 753 a.C., ad opera di Romolo, che dà il nome alla città: ma è, appunto, solo un mito. Gli scavi archeologici invece dimostrano che già nel 1000 a.C. ci sono delle abitazioni sul colle Palatino, vicino al fiume Tevere, zona dove nasce il nucleo più antico della città. La Roma monarchica si estende su sette colli e la leggenda dice che sette sono anche i re che la governano, prima della trasformazione in repubblica. I Romani combattono molte battaglie con le popolazioni italiche, a partire dai Latini, per arrivare ai lontani Cartaginesi. Il territorio romano diventa sempre più grande e arriva a comprendere l'intera penisola italica.

La lupa, secondo la leggenda, alleva Romolo e Remo

Giulio Cesare (100-44 a.C.)

Il periodo repubblicano

Il periodo repubblicano va dal 509 al 27 a.C. La società di Roma è composta
da cittadini di antica origine romana, i *patrizi*, e da persone non nobili che
arrivano anche da altre zone d'Italia, i *plebei*. Le famiglie ricche hanno numerosi
schiavi, che comprano e vendono come oggetti. I plebei sono contadini, mercanti,
artigiani e non possono partecipare alla vita politica della città. La città è
governata dal *senato*, composto da anziani della classe patrizia, e da due *consoli*,
anche loro patrizi. Solo più tardi, dopo numerose lotte, i plebei possono avere
i loro rappresentanti politici, chiamati *tribuni della plebe*. Durante il periodo
repubblicano Roma occupa la Penisola Iberica, la Gallia, la Grecia, l'Anatolia
e il Nord Africa, grazie all'opera di generali come Pompeo Magno e Giulio Cesare.

L'impero romano

Il primo imperatore romano, Ottaviano Augusto (27 a.C.-14 d.C.), porta finalmente un periodo di pace, dopo
tante guerre civili. Oltre a essere un grande combattente, Augusto ama anche le arti e gli piace avere a corte
poeti, storici, filosofi e scultori che lo esaltano nelle loro opere. Tra i numerosi imperatori ricordiamo Nerone
(54-68 d.C.) per il famoso incendio di Roma, Vespasiano (69-79 d.C) che fa costruire il Colosseo
e Costantino (306-337 d.C.) che interrompe le persecuzioni dei cristiani e permette la libertà di religione.
Nel 395 d.C. l'Impero romano si divide in due parti: Impero d'Occidente e Impero d'Oriente. A causa
dell'arrivo di popolazioni dall'Europa dell'Est, nel 476 d.C. l'Impero d'Occidente cade e nascono diversi regni,
mentre l'Impero d'Oriente sopravvive con il nome di 'Impero bizantino' fino al 1453.

L'Imperatore bizantino Giustiniano

ITALIA BIZANTINA E LONGOBARDA

REGNO DEI FRANCHI
Bolzano
Ivrea · Milano · DUCATO DEL FRIULI
Asti · Pavia · Venezia · Aquileia
Novalesa · Bobbio · Nonantola · Ravenna
Genova
Pisa · ESARCATO
Perugia · Fermo
Spoleto
Blera · DUCATO DI SPOLETO
Sutri · Montecassino
Roma · Benevento · San Michele
Napoli · DUCATO DI BENEVENTO · Taranto
Amalfi
Rossano
Cagliari · DUCATO DI CALABRIA
Palermo · Reggio
☐ Territorio Bizantino
☐ Territorio Longobardo
☐ Territorio conteso dai Longobardi ai Bizantini
Siracusa

L'Alto Medioevo

Gli storici dividono il Medioevo in Alto Medioevo (476-1000 d.C) e Basso Medioevo (1000-1492 d.C). Dopo la caduta dell'Impero romano, diverse popolazioni barbare invadono l'Italia, in particolare gli Ostrogoti e i Longobardi. L'Impero bizantino cerca più volte di riconquistare la penisola ma riesce solo a occupare il Sud e la zona di Venezia e Ravenna. Sono di questo periodo i bellissimi mosaici nelle chiese di Sant'Apollinare in Classe e di San Vitale a Ravenna e di San Marco a Venezia. Nell'800, con l'incoronazione di Carlo Magno, il Nord Italia diventa parte del Sacro Romano Impero. Nasce il feudalesimo: l'imperatore divide i suoi territori tra i nobili, i loro castelli sono i nuovi centri di potere. Nel IX secolo gli Arabi invadono la Sicilia. Le repubbliche marinare, Amalfi, Pisa, Genova e Venezia sono in competizione tra loro per il commercio nel Mediterraneo. Intanto aumenta il terrore per l'arrivo dell'anno 1000, data della fine del mondo.

Il Basso Medioevo

Ovviamente la fine del mondo non arriva e, dopo l'anno 1000, l'Italia vive un bel periodo sia per l'economia sia per le arti. Questi sono i secoli di grandi scrittori come Dante, Petrarca, Boccaccio, Boiardo, Pulci, e di celebri artisti come Giotto, Piero della Francesca e Botticelli. Nel Nord e nel Centro Italia cambia soprattutto la struttura sociale: la gente lascia le campagne per andare a vivere nelle città. I nobili perdono potere, mentre i commercianti e gli artigiani controllano l'economia. Famiglie famose come i Medici (Firenze), i Gonzaga (Mantova), i Visconti (Milano), gli Este (Ferrara) e i Montefeltro (Urbino) diventano i padroni delle città. I Normanni (1000-1186), che vengono dal Nord Europa, occupano il Sud Italia. Il loro regno è multietnico e favorisce lo sviluppo del commercio e delle arti. Questo bel periodo continua fino al regno di Federico II (1198-1250), discendente dei Normanni e dell'imperatore tedesco. Alla sua morte gli Angioini (francesi) e gli Aragonesi (spagnoli) invadono il Sud Italia.

Il Palazzo Ducale di Urbino, simbolo dell'autorità del principe

Viva le vacanze!

Alice: Finalmente le vacanze!

Rafael: Sì, tre mesi da passare in libertà!

Silvia: Ehi, ragazzi, ci vediamo durante le vacanze...?

Matilde: Ma certo!

Damiano: Avere tre mesi di vacanze è bellissimo, ma tre mesi passano velocemente. Inoltre bisogna aiutare i genitori, sistemare la stanza, ripassare di tanto in tanto per non scordare le cose studiate durante l'anno...

Rafael: Ma dai, Damiano, rilassati!

Alice: Ma sì, è vero, rilassati! Siamo in vacanza: tu studi durante tutto l'anno e adesso meriti un po' di riposo.

Matilde: Che belle le vacanze!

Damiano: Ok ragazzi, buone vacanze! *(si allontana)*

Alice: Ciao e buone vacanze anche a te!

Silvia: A presto! *(saluta e se ne va)*

Matilde: Ciao! *(si allontana)*

Rafael: Ciao! *(si allontana)*

Alice e Matilde restano da sole.

Alice: Tutto ok? Ti vedo un po' triste...

Matilde: Mah... in effetti sono un po' triste. Durante l'anno scolastico siamo tutti insieme, ora che ci sono le vacanze non ci vediamo più e ognuno parte per conto suo...

Alice: Ma no... che dici?! È bello essere in vacanza!

Matilde: Sì, ma sono triste e non ci posso fare niente...

Alice: Si può organizzare una festa per salutarci e passare in allegria il primo giorno di vacanze! Metto a disposizione il mio giardino per giocare, mangiare e stare insieme!

Matilde: Magnifico! Possiamo anche festeggiare il compleanno di Damiano.

Alice: Sì! È il 24 giugno ma lo possiamo anticipare perché in quella data siamo già tutti partiti per le vacanze. Chiama gli altri e di' che ci vediamo a casa mia. Devi anche dire di portare da mangiare e da bere. Io vado a comprare un regalo per Damiano. A dopo.

Alice corre al negozio di abbigliamento più vicino.
Sorridendo, prima di entrare, ripete a se stessa
a voce alta:

*"Bisogna avere le idee chiare
non lasciarsi consigliare
belle cose troppo care
che poi non puoi pagare".*

Quando Alice torna a casa, gli amici sono già
arrivati.

Rafael:	Ciao Alice!
Damiano:	Ciao! Che bella idea vederci qui tutti insieme!
Silvia:	Ho portato la musica. Ecco i CD!
Matilde:	Ehi ragazzi! Prepariamo i panini? Ho un po' fame...
Tutti:	Sì! Ottima idea!
Matilde:	Allora Silvia, tu ti occupi della musica, Rafael e Damiano apparecchiamo la tavola, mentre Alice e io prepariamo i panini. Va bene?
Silvia:	Siamo proprio un bel gruppetto...
Rafael:	Ma che dici?! Siamo spettacolari!
Alice:	Allora Matilde, sei ancora triste?
Matilde:	Non più, perché penso già a quello che faremo al ritorno dalle vacanze!

Gli attori rivolti al pubblico esclamano: "Buone
vacanze a tutti!"

Appendice

Unità ②

Esercizio n. 3 p. 28

Tu sei lo studente B, leggi allo studente A le operazioni e controlla i risultati.

23 − 18 = 5   48 + 3 = 51

74 + 11 = 85   64 − 5 = 59

38 − 15 = 23   95 − 30 = 65

81 + 16 = 97   57 + 32 = 89

Unità ④

Esercizio n. 3 p. 56

Tu sei lo studente B, chiedi allo studente A di chi sono gli oggetti non collegati alle persone nel disegno.

A Di chi è il cellulare?
   È di Rafael?

B No, non è il suo, è di Silvia.

Matilde   Silvia   Rafael

Unità ⑥

Esercizio n. 3 p. 78

Tu sei lo studente B. Rispondi alle domande di A e dopo fa' anche tu queste domande.

1 Chi è Teo?
2 Chi è Rosanna?
3 Chi è Giovanni?
4 Come si chiama sua cugina?
5 Come si chiama sua nonna?

Unità ⑧

Esercizio n. 3 p. 106

Tu sei lo studente B. Rispondi alle domande di A. Dopo chiedi anche tu i prezzi e scrivili nei cartellini vuoti.

€ 12,00

€

€ 6,00

€

L'ITALIA FISICA

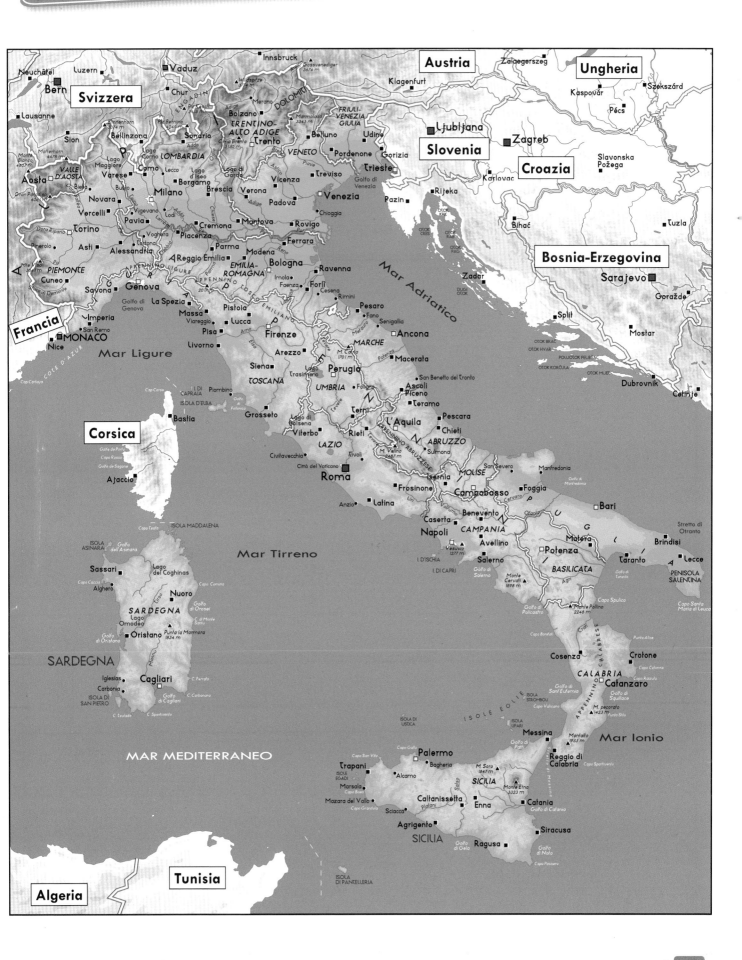

L'ITALIA POLITICA